火花

又吉直樹

火花

大地を震わす和太鼓の律動に、甲高く鋭い笛の音が重なり響いていた。熱海湾に面した沿道は白昼の激しい陽射しの名残りを夜気で溶かし、浴衣姿の男女や家族連れの草履に踏ませながら賑わっている。沿道の脇にある小さな空間に、裏返しにされた黄色いビールケースがいくつか並べられ、その上にベニヤ板を数枚重ねただけの簡易な舞台の上で、僕達は花火大会の会場を目指し歩いて行く人達に向けて漫才を披露していた。

中央のスタンドマイクは、漫才専用のものではなく、横からの音はほとんど拾わないため、僕と相方の山下は互いにマイクを頬張るかのように顔を近づけ唾を飛ばし合っていたが、肝心な客は立ちどまることなく花火の観覧場所へと流れて行った。人々の無数の微笑《ほほえ》みは僕達に向けられたものではない。祭りのお囃子が常軌を逸するほど激しくて、僕達の

声を正確に聞き取れるのは、おそらくマイクを中心に半径一メートルくらいだろうから、僕達は最低でも三秒に一度の間隔で面白いことを言い続けなければ、ただ何かを話しているだけの二人になってしまうのだけど、三秒に一度の間隔で無理に面白いことを言おうとすると、面白くない人と思われる危険が高過ぎるので、敢えて無謀な勝負はせず、あからさまに不本意であるという表情を浮かべながら与えられた持ち時間をやり過ごそうとしていた。

結果が芳《かんば》しくなかったので、どのようなネタをやっていたのかはあまり正確に覚えていない。「自分が飼っているセキセイインコに言われたら嫌な言葉はなんや？」というようなことを相方に聞かれ、「ちょっとずつでも年金払っときや」と最初に答えた。それから「あのデッドスペースはもうあのままやねんな」、「折り入って大事な話あんねんけど」、「昨日から眼を合わせてくれへんけど食べようと思ってる？」、「悔しくないんか？」などと、およそセキセイインコが言うはずのない言葉を僕が並べ立て、それに対して相方が相槌を打ったり、意見を述べたりしていたのだけど、なぜか「悔しくないんか？」という言葉に対してだけ相方が異常に反応し、一人で笑い始めた。その時、僕達の前を通り過ぎた人達は相方の笑い声しか聞こえなかったはずだが、相方は声を出さずに笑う引き笑いなので、ほとんど僕達は二人でただそこに立っているだけの若者だった。相方が笑ったことが唯一の救いだった。確かに一日の充実感を携えて帰宅したところをペットのインコに「悔

しくないんか?」などと言われたら、少しだけ羽を燃やしたくなるかもしれない。いや、羽を燃やしたらインコが可哀想だ。むしろ、ライターで自分の腕を炙《あぶ》った方が火を恐れる動物に激烈な恐怖を与えられるかもしれない。火で自分の腕を燃やすなんて、鳥からすれば驚異以外の何ものでもないだろう。そんなことを思うと、僕も少し笑えたのだけど、通行人は驚くほど僕達に興味がなく、たまに興味を示す人もいるにはいたが、それは眉間に皺を寄せながら僕達に中指を立てて行くような輩《やから》ばかりで、頗《すこぶ》る不愉快だった。大勢の中での疎外感に僕はやられていて、いま、飼っているインコに、「悔しくないんか?」と言われたら、思わず泣いてしまうのではないかと思っていたら、僕達の後方の海で爆音が鳴り、山々に響いた。

沿道から夜空を見上げる人達の顔は、赤や青や緑など様々な色に光ったので、彼等を照らす本体が気になり、二度目の爆音が鳴った時、思わず後ろを振り返ると、幻のように鮮やかな花火が夜空一面に咲いて、残滓《ざんし》を煌《きら》めかせながら時間をかけて消えた。自然に沸き起こった歓声が終るのを待たず、今度は巨大な柳のような花火が暗闇に垂れ、細かい無数の火花が捻《ね》じれながら夜を灯し海に落ちて行くと、一際大きな歓声が上がった。熱海は山が海を囲み、自然との距離が近い地形である。そこに人間が生み出した物の中では傑出した壮大さと美しさを持つ花火である。このような万事整った環境になぜ僕達は呼ばれたのだろうかと、根源的な疑問が頭をもたげる。山々に反響する花火の音に自分の声を掻き消

され、矮小な自分に落胆していたのだけど、僕が絶望するまで追い詰められなかったのは、自然や花火に圧倒的な敬意を抱いていたからという、なんとも平凡な理由によるものだった。

この大いなるものに対していかに自分が無力であるかを思い知らされた夜に、長年の師匠を得たということにも意味があったように思う。それは、御本尊が留守のうちにやってきて、堂々と居座ったようなものだった。そして、僕は師匠の他からは学ばないと決めたのだ。

花火を夢中で見上げる人々の前で、最終的に自暴自棄になった僕が、「インコは貴様だ」と飼い主に絶叫するセキセイインコをやり始めたところで、ようやく僕達の持ち時間である十五分が終了した。汗ばかりかいて、何の充実感もなかった。そもそも、花火が打ち上がるまでに余興は全て終了する予定だったのだ。大道芸を披露した老人会の面々が観衆にのぼせあがり、大幅に持ち時間を越えたために、このような惨事が起きたのである。今宵の花火大会において末端のプログラムに生じた些細なずれなど誰も修正してくれはしない。たとえば僕達の声が花火を脅かすほど大きければ何かが変わっただろうけど、現実には途方もなく小さい。聞こうとする人の耳にしか届かないのである。

僕達が舞台から降りた時、「熱海市青年会」と書かれた黄ばんだ粗末なテントの中は、老人達の酒場と化していて、その隅で待機していた最後のコンビが気怠《けだる》そうに外へ出てき

た。そして、僕とすれ違う瞬間に、「仇《かたき》とったるわ」と憤怒の表情でつぶやいた。言葉の意味がすぐにはわからなかったのだけど、僕はその二人から、特に僕に言葉を投げかけた人物から眼が離せなくなった。人混みに紛れ、通行人の妨げになりながら、僕はその人達の漫才の一部始終を見届けた。その人は相方よりも背が高いため痩せた腰を折り曲げてマイクに噛みつくような体勢となり、通行人を睨みつけながら「どうも、あほんだらです」と名乗った後、大衆に喧嘩を売るかのように怒鳴り出した。それがほとんど意味不明で、どのような様子だったかを正確に記すのは困難だけれど、「私ね霊感が強いからね顔面見たらね、その人が天国に行くのか地獄に行くのかわかるの」などと唾を撒き散らしながら叫び、通行人一人一人に人差し指を向けて、「地獄、地獄、地獄、地獄、地獄、地獄、地獄、地獄、地獄、地獄、地獄、なんやの罪人ばっかりやないのあんたらちゃんとし」と、そういえば何故かずっと女言葉で叫んでいた。「地獄、地獄、地獄、地獄、地獄」と続けてその人が叫んでいる間に相方は何をしているかというと、二人に対して苦情や文句を言ってくる輩にマイクを通さず、「殺すぞこら、こっち来てみい」と鬼のような形相で叫び散らしていた。相変わらず、もう一人の方は執拗に「地獄、地獄、地獄、地獄、地獄、地獄」と叫び続けていたのだけど、急に一点に眼を向けたまま、声も動きも停止させた。どうしたのだろうかとその人の指が示す方を覗いてみると、そこにいたのは母親に手を引かれた幼い女の子だった。僕は一瞬で心臓に痛みを感じ、どうか何も言いませんようにと何

かに願った。これが花火大会にいてこまされた僕達の仇討ちならやめて貰いたいと思ったけれど、その人は満面の笑みを浮かべ、「楽しい地獄」と優しい声で囁《ささや》き、「お嬢ちゃん、ごめんね」と続けた。もう僕は、その一言で、この人こそが真実なのだとわかった。結果的にその人達は僕達よりも遥かに大きな失態を晒《さら》し、終演後に主催者は顔を赤くして怒っていたけれど、その時でさえも、その人の相方は主催者を睨みつけて威嚇していたし、その人は僕に子供のような笑顔を向けていた。その無防備な純真さを、僕は確かに恐れていた。

僕がテントの隅で着替えていると、その人は主催者の罵詈雑言から逃れ、僕の側《そば》に笑顔で歩み寄ると、「取っ払いでギャラ貰ったから呑みに行けへんか?」と僅かに引き攣《つ》らせた顔で声をかけた。

熱海の旅館が立ち並ぶ通りを、無言で花火に照らされながら二人連れ立って歩いた。その人は、虎が描かれた黒いアロハシャツを纏《まと》い、着古したリーバイス501をはいていた。痩身だが眼光が鋭く、迂闊《うかつ》に踏み込ませない風格があった。

風雨で傷んだ看板を掲げる居酒屋の片隅で安定の悪いテーブルを挟み、向かい合って腰を降ろした。僕達の他は花火や人混みに疲れた年配の観光客が多かった。誰もが圧倒的な花火を引き摺っていた。壁には誰かのサインが書かれた色紙が飾られていたが、煙と油で茶色に変色していて、このサインを書いた人はもう死んでいるのではないかと漠然と思っ

た。

「なんでも好きなもん頼みや」

その人の優しい言葉を聞いた瞬間に安堵からか眼頭が熱くなり、やはり僕はこの人に怯えていたのだなと気づいた。

「申し遅れたのですが、スパークスの徳永です」とあらためて挨拶すると、その人は「あほんだらの神谷《かみや》です」と名乗った。


これが僕と神谷さんとの出会いだった。僕は二十歳だったから、この時、神谷さんは二十四歳のはずだった。僕は先輩と一緒にお酒を呑んだことがなく、どうすればいいのか全然わからなかったのだが、神谷さんも先輩や後輩と呑んだことが今までにないようだった。

「あほんだら、って凄い名前ですね」

「名前つけけんの苦手やねん。いつも、親父が俺のこと、あほんだら、って呼ぶからそのまつけてん」

瓶ビールが運ばれてきて、僕は人生で初めて人に酒を注いだ。

「お前のコンビ名、英語で格好ええな。お前は父親になんて呼ばれてたん？」

「お父さん」

神谷さんは僕の眼を見たままコップのビールを一気に空け、それでもまだ僕の眼を真っ

すぐに見つめていた。

　数秒の沈黙の後、「です」と僕はつけくわえた。

　神谷さんは黒眼をギュウと収縮させて、「おい、びっくりするから急にボケんな。ボケなんか、複雑な家庭環境なんか、親父が阿呆なんか判断すんのに時間かかったわ」と言った。

「すみません」

「いや、謝らんでええねん。いつでも思いついたこと好きなように言うて」

「はい」

「その代わり笑わしてな。でも、俺が真面目に質問した時は、ちゃんと答えて」

「はい」

「もう一度聞くけど、お父さんになんて呼ばれてたん？」

「オール・ユー・ニード・イズ・ラブです」

「お前は親父さんをなんて呼んでんの？」

「限界集落」

「お母さん、お前のことなんて呼ぶねん？」

「誰に似たんや」

「お前はお母さんを、なんて呼ぶねん？」

「誰に似たんやろな」

「会話になってもうとるやんけ」

ようやく、神谷さんが微笑んで、椅子の背もたれに背中をつけた。

「二人がかりで結構時間かかったな。笑いって、こんなに難しかったっけ？」

「僕も吐きそうになりました」

「お互いまだまだやな。取りあえず呑もう」僕は酒を注ぐタイミングもわからずに、いつの間にか神谷さんは手酌《てじゃく》で呑んでいた。

神谷さんは何度も、「ここは俺が奢《おご》る」と繰り返していたので、これは半分払えということなのだろうと思い、「払います」と言ったら、「阿呆か、芸人の世界では先輩が後輩に奢るのが当然なんや」と神谷さんは嬉しそうに言ったので、これが言ってみたかったのだなとわかった。

僕は誘って貰えたことが嬉しくてついつい質問をしたくなり、まず最初になぜ漫才の時、女言葉で叫んでいたのかを聞いた。

神谷さんは、「その方が新鮮やろ、必然性なんかいらんねん。じゃあ、女言葉を使ったらあかん理由はなんやねん？」と言った。

神谷さんは真剣な表情で僕の顔を覗き込んでいる。早く答えなくてはと焦る。

「聞いている人が、なぜこの人は男なのに女言葉で話しているのやろうと疑問に思うこと

によって、重要な話が頭に入りにくくなるからですかね」と僕は真面目に答えた。

「お前大学出てるんか?」と神谷さんが不安そうに言ったので、「高卒です」と答えると、「ど阿呆、大学も出てへん奴が賢いふりすな」と僕に顔を近づけて頭を拳で殴る真似をした。

神谷さんは「人と違うことをせなあかん」ということを繰り返し言い、焼酎を五杯程呑み赤らんだ顔の中で両目が垂れだした頃には、どのような話の流れでそうなったのか、僕は神谷さんに「弟子にして下さい」と頭を下げていた。

それは決してふざけて言ったのではなく、心の底から溢《あふ》れ出た言葉だった。

「いいよ」と神谷さんは僕の言葉を簡単に受け入れ、丁度、酒を運んできた店員に「今、ここで師弟関係を結んだので証人になるように」と言い、「はい、はい」と適当に受け流されていた。初めての経験であるはずなのに、やり方を知っているように振る舞う神谷さんを頼もしく思った。この猥雑な風景を証人として、師弟関係の契《ちぎ》りが結ばれたのである。

「ただな、一つだけ条件がある」と神谷さんは何やら意味あり気に切り出した。

「なんですか」

「俺のことを忘れずに覚えといて欲しいねん」

「もう死ぬんですか?」

神谷さんは僕の質問には答えず、瞬きもせずに黒眼の動きを止めている。何かを考えて

いる間、たまに僕の声が聞こえなくなるようだった。

「お前大学出てないんやったら、記憶力も悪いやろうし、俺のことすぐに忘れるやろ。せやから、俺のことを近くで見てな、俺の言動を書き残して、俺の伝記を作って欲しいねん」

「伝記ですか?」

「そや、それが書けたら免許皆伝や」

伝記を作るとはどういうことだろう。先輩とのつき合い方とはそういうものなのだろうか。

僕の所属している事務所は小さな会社だった。僕が子供の頃からテレビに出ている有名な俳優が一人いて、あとは舞台を中心に活動している俳優が数人いるだけで、芸人は僕達だけだった。学生時代に素人の漫才大会に出場した時、人のよさそうなおじさんに声をかけられ、それが今の事務所の社長だった。一組だけだと優遇されると思っていたが、そもそも仕事の数が少なく、もっぱら地方営業と小さな小屋でのライブがほとんどだった。

ずっと、僕は先輩が欲しかった。様々な事務所の若手芸人が集《つど》うライブの楽屋などで、先輩と後輩という関係性を持つ芸人同士の楽しげな会話が羨ましかった。僕達には楽屋での居場所がなく、いつも廊下の隅や便所の前で目立たないように息を潜めていた。

店員がラストオーダーを告げに来ると、「お姉さん、すまんけど、後二杯ずつだけい

い？」と神谷さんが言った。

「いいですよ、観光ですか？」と店員に質問された神谷さんが、背筋を伸ばして「土地の神です」と意味のわからないことを誇らしげに答えると、店員さんが声を出して笑った。

「お前は本を読むか？」

「あまり読まないです」

神谷さんは眼を見開き、そう答えた僕のTシャツのデザインを凝視してから、僕の顔に視線を移し、深く頷《うなず》いて「読めよ」と言った。

花火大会が終わったのだろう、店の戸を開けて店内を覗く人が何人もいて、その度に店員が今日はもう閉めるのだと断った。

「こんな日なんて、何時《なんじ》までも開けといたら儲かんのにな」

神谷さんはそう言ったが、店の奥で人の出入りがあったのでおそらく地元の住人達による打ち上げ会場にでもなるのだろう。

「俺の伝記を書くには、文章を書けんとあかんから本は読んだ方がいいな」

神谷さんは本気で僕に伝記を書かせようと思っているのかもしれない。

僕は本を積極的に読む習慣がなかったが、無性に読みたくなった。神谷さんは早くも僕に対して強い影響力を持っていた。この人に褒められたい、この人には嫌われたくない、そう思わせる何かがあった。

神谷さんは、コロッケを箸でつつきながら「俺は本好きなんやで」と嬉しそうに言った。

小学生の頃、図書の時間に他の同級生達が「動物図鑑」や「はだしのゲン」の取り合いをしている中、神谷さんは偉人と呼ばれる人達の人生が綴られた伝記を貪《むさぼ》り読んでいたらしい。

「絵はな、表紙となな途中に少しだけやったんちゃうかな。あとは全部活字」

神谷さんは、活字が多い本だったことを強調したいようだった。

「新渡戸《にとべ》稲造が何者か知ってるか?」

「五千円札の人ですよね?」

「そうや、あの人も色々やった人やねんで。そんなんも書いてたわ」

「そうなんですね。何をした人なんですか?」

「忘れたけど、読んだ時は感心したん覚えてるわ」

神谷さんはいかに伝記が面白いか熱弁を振るった。神谷さんの言葉によると偉人が成し遂げたことは文章上でも凄いとわかるのだが、その人となりは大概が阿呆であるらしく、自分の伝記があれば皆が驚くと幼き頃に思ったらしい。

神谷さんは、「お前は喋りは達者ではないけど、静かに観察する眼を持ってるから伝記を執筆する人間に向いているはずや」と言ってくれたが、僕の夢は漫才師として食べて行くことだった。それを神谷さんに伝えると、「当たり前のことを言うな」と一笑に付され

た。僕は、その当たり前という辺りの真意を尋ねた。

「漫才師である以上、面白い漫才をすることが絶対的な使命であることは当然であって、あらゆる日常の行動は全て漫才のためにあんねん。だから、お前の行動の全ては既に漫才の一部やねん。漫才は面白いことを想像できる人のものではなく、偽りのない純正の人間の姿を晒すもんやねん。つまりは賢い、には出来ひんくて、本物の阿呆と自分は真っ当であると信じている阿呆によってのみ実現できるもんやねん」

神谷さんは目に落ちかかる前髪を、時折指で払った。

「つまりな、欲望に対してまっすぐに全力で生きなあかんねん。漫才師とはこうあるべきやと語る者は永遠に漫才師にはなられへん。長い時間をかけて漫才師に近づいて行く作業をしているだけであって、本物の漫才師にはなられへん。憧れてるだけやな。本当の漫才師というのは、極端な話、野菜を売ってても漫才師やねん」

神谷さんは一言ずつ自分で確認するように話した。人前で初めて語る話か、語り慣れた話かが、話す速度と表情でわかった。

「神谷さんの説明は漫才師を語っていることにならないんですか?」

僕は少し前から疑問に思っていたことを口にした。この人になら聞いてもいいと思ったのだ。

しかし、「その発言が、もし揚げ足を取ろうとして言ったのであれば師匠として、どつ

き回したろうと思うんやけど」と言われたので、本当に知りたいのだと伝えた。神谷さんは腕組みをして、一度大きく頷いた。

「漫才師とはこうあるべきやと語ることと、漫才師を語ることとは、全然違うねん。俺がしてるのは漫才師の話やねん」

「はい」

「準備したものを定刻に来て発表する人間も偉いけど、自分が漫才師であることに気づかずに生まれてきて大人しく良質な野菜を売っている人間がいて、これがまず本物のボケやねん。ほんで、それに全部気づいている人間が一人で舞台に上がって、僕の相方ね自分が漫才師やいうこと忘れて生まれて来ましてね、阿呆やからいまだに気づかんと野菜売ってまんねん。なに野菜売っとんねん。っていうのが本物のツッコミやねん」

　神谷さんは言い終わると同時に焼酎を一気に呷《あお》り、グラスを空中に掲げると十、九、八、七、六と数え始めた。神谷さんが、一を、「イーチ」と伸ばして言っている間に、店員が焼酎を持ってきて、神谷さんと僕の前に一杯ずつ置いた。僕の眼の前には二杯のグラスが並んだので、グラスに口をつけると、神谷さんが「慌てんと呑みや」と微笑んだ。眼の前の人間が土地の神ではないにしろ、妖怪の類《たぐい》に見えてきた。

「でもあれやな」

　そう言ったあと、神谷さんはしばらく黙りこんだ。いつの間にか僕達の他には客がいな

かった。代わりに奥の小上がりに地元の人間が集まり始めていた。

「そんなん、ほんまにやっても誰も笑わへんから、それくらいの本当の気持ちで、子供も大人も神様も笑わさなあかんねん。歌舞伎とかもそうやんな」

歌舞伎や能の起源は神に捧げられる行事であったと聞いたことがある。確かに誰にも届かない小さな声で、聞く耳を持つ者すらいない時、僕達は誰に対して漫才をするのだろう。現代の芸能は一体誰のために披露されるものなのだろう。

「伝記って、その人が死んでから出版するんですよね？」

「お前、俺より長生き出来ると思うなよ」と神谷さんは鋭い眼で僕を睨んだ。

どのようなテンションで、この言葉を発しているのだろう。

「生前に前編を出版して、死後に中編を出版やな」と一変して今度は楽しそうに言う。

「後編気になって、文句出ますよ」

「そんくらいの方が、面白いやんけ」

神谷さんは伝票を持つと席を立った。

帰り際に、「握力が強過ぎるゴリラ同士の握手みたいやったな」と言われた。僕は先輩と呑む初めての経験に緊張していたのだが、神谷さんも同じだったのかもしれない。

「ごちそうさまでした」と僕が言うと、神谷さんは「全然、全然」と眼を合わさず恥ずかしそうにして、「俺、こっちやから、またな」と言い残し、どこかに走って行った。

「お前の言葉で、今日見たことが生きてるうちに書けよ」という神谷さんの言葉を思い出すと、胸の辺りに温もりが満ちて行く感覚があった。書くことが楽しみなのだろうか。情熱を預ける対象が見つかったことが嬉しいのだろうか。宿に帰る途中でコンビニに寄り、いつもより少し高いボールペンとノートを買った。涼しい風の吹く海沿いの道を歩きながら、どこから書き始めるかを考えていた。見物客は宿に収まりきったのか、人影はまばらで波音が静かに聞こえていた。耳を澄ますと花火のような耳鳴りがして、次の電柱まで少しだけ走った。

*

神谷さんは大阪の大手事務所に所属していたので、東京で活動している僕はなかなか会う機会がなかった。それでも、神谷さんは頻繁に連絡をくれた。誰とも話していない一日の終り、携帯電話が振動し、液晶に神谷才蔵《さいぞう》という文字が表示されると妙に心が躍った。神谷さんは、いつも最初は声帯が裏返ったような不審な声で「どこにいてんの?」と所在を確認する。僕が東京にいることを伝えると、ひとしきり残念そうにして、少しずつ自分の近況を報告した。神谷さんの声が弾みだしテンポが上がりきった所で、唐突に電話は切れる。そして、数分後に「充電切れてもうた。またな」というメールが届く一連の流れが

恒例となった。

神谷さんの淀みなく流れるような喋りを聞いていると、自分が早く話せないことに苛立つ時があった。頭の中には膨大なイメージが渦巻いているのに、それを取り出そうとすると言葉は液体のように崩れ落ちて捉まえることが出来ない。複数人での会話になると更に症状は顕著だった。人の数が増えると言葉の数も増える。一つ言葉が耳に入ると、そこから派生した別個の流れが生まれ、頭の中でいくつものイメージが交錯して、どこから手をつければいいのかわからなくなるのだ。神谷さんは、そんな僕を面白がってくれた。「早いテンポで話した方が情報を沢山伝えることが出来んねん。多く打席に立てた方がいいに決まってるやん。だから、絶対に早く話した方がいいのは確かやねん。でも、お前はそれが出来へんねやろ？　そんなお前やからこそ、人と違う表現が出来るんやんけ。ええな。俺の実家な全然貧乏じゃなかってん。子供の頃な、ゲームとか玩具とか普通にあったからな、それで遊んでてんけど、よく中年が、俺等の頃は遊び道具なんてなかった、とか言うやん。あれ聞くたびにな、俺、わくわくすんねん。こんなん言うたらあかんねやろうけど、ほんまに羨ましいねん。だって、ないなら自分で作ったり、考えたり出来るやん。そんなん、めっちゃ楽しいやん。作らなあかん状況が強制的にあんねんで。お前やったらわかるやろ？　お前の家、めっちゃ貧乏そうやな」と神谷さんは淡々と失礼な発言をするが、そこに悪意は感じられなかった。

実際に僕の家は裕福ではなかった。玩具の類は一切なかった。一日中、紙に絵を描いて過ごす日もあった。父親の将棋盤を拡げ、独自の駒の動かし方を考案して全ての駒を使い、誰に攻め込まれても崩れない布陣で王将を守り、誰も攻めてこないことに気づくまで待ち続けたこともあった。神谷さんは僕がそういう話をすると酷《ひど》く羨ましがった。姉が紙のピアノで「ねこふんじゃった」の練習をしていた話を何度も繰り返し僕に話させた。

姉は、家にピアノやエレクトーンがある友達に遅れを取らないように必死だった。しかし、ある日、「頑張ってるお姉ちゃん、見に行こう」と、僕を保育所まで迎えにきた母に連れられ、姉の通うヤマハの教室を覗きに行くと、他の生徒達は演奏しているのに、姉だけエレクトーンの前の椅子に座った状態で、落ち着きなく周りをうかがい、エレクトーンの裏を手で触ったりしていた。なぜ弾かないのだろう？　母も不安そうに姉を見ていた。ようやく異変に気づいた先生が姉の側に寄って行くと、姉は「音が出ない」と言った。すると先生が当たり前のように、エレクトーンの電源を入れて、姉も途中から演奏に加わった。姉は緊張で身体が強張《こわば》り、異常に両肩が上がっていて無様《ぶざま》だった。いつもは優しくて頼りがいのある姉のこんな姿を見ていると、なぜか僕は胸が苦しくなり、眼から涙が溢れた。「なんで、あんたが泣いてるの？　お姉ちゃん頑張ってるで」と言った母の眼も赤かった。その夜、家に帰ってからも姉は無言で紙のピアノを懸命に弾き続けていた。僕は姉の隣に座り、全力で姉が演奏する曲を唄った。酒に酔った父が「やかましいんじゃ」と怒

声を上げても僕達はやめなかった。数日後、狭い文化住宅に小さいけれど立派なピアノが届いた。父は母を激しく罵《ののし》った。母が姉のために独断で買ったのだ。この話をすると、神谷さんは鼻を啜《すす》りながら、「ええな。そんなお前にしか作られへん笑いが絶対あるんやで」と優しい声で言うのだった。

*

神谷さんも僕も、大きくは仕事の内容に変化がないまま、熱海の花火大会から一年が過ぎた。テレビでは同世代の芸人達の一部が活躍しはじめていた。彼等はとても華やかで達者に見えた。僕は自分の不遇を時代のせいに出来るほど鈍感ではなかった。僕と彼等の間には歴然とした能力の差があった。僕達の主戦場は依然小さな劇場で、そこに出演するためには、月に一度のネタ見せと呼ばれるオーディションを受ける必要があった。

夜中に大勢の若手芸人が集められる。狭い待合室に詰めこまれ、汚ない服を身に纏った若者達は皆一様に腹を減らし、眼だけを鈍く光らせていた。その光景は華やかさとは無縁の有象無象が、泥濘《でいねい》に頭まで浸かる奇怪な絵図のようだった。一組ずつ部屋に呼ばれ、ライブを担当する構成作家の前で漫才やコントを見せる。長時間にわたり、審査する方は更に疲弊していて不憫だったが、彼等が正確にネタの善し悪しを判断出来ていたかには些《いささ》か

不安もあった。肉体はぶっ倒れれば、そこが限界だとわかるが、審査する方の思考が正常に機能しているかどうかは、側で見ていてもわからなかった。それでも不平を訴えるものは皆無だった。自分達が人前で何かを表現する権利を得るためのオーディションなのだから、そこで自分の価値を証明出来ないうちは自らの考えを述べることは許されないという気分が全体に横たわっていたのだ。それは錯覚に過ぎないし、思考の強制もなかったのにもかかわらず。僕達は表現の場を得るために、発言の権利を得るために、あるいは貧困から脱するために、それぞれのやり方で格闘していたのだ。

スパークスは、ネタ見せを経て、劇場の出番が増えていくに伴い、他事務所のライブにも呼ばれ、お笑い雑誌の新人紹介コーナーで小さく取り上げられたりもした。劇場に足を運んでくれる人達にも徐々にではあるが、名前を覚えて貰えるようになった。

その頃、神谷さんから拠点を東京に移すことになったと連絡がきた。大阪での活動に限界を感じたようだった。芸歴六年目を迎えた神谷さんの同期達は、頻度に差はあれど、少なからずテレビに出演する機会を得ていた。それ以外の人達は芸人を辞めてしまったらしい。神谷さんは後輩だらけの劇場で気を使われるのが嫌になったと言った。芸人の世界では、まず大阪で売れてから東京に出てくるのが理想的ではあったが、劇場のシステムから零《こぼ》れ落ちた人達は新たな環境を目指して東京に出てくることも珍しくなかった。東京も若手芸人にとっては過酷な状況ではあったが、それでも、新天地で頭角を現したコンビも少

なくない。ただ、どこでも結果が出せてしまう一部の選ばれた人間が存在することも、事実だった。

どの事務所でも、芸歴を重ね手垢のついた芸人よりも、言うことを聞く若者の方が好まれるようだった。神谷さんの芸人的なセンスは、師弟関係にある自分でさえも贔屓目《ひいきめ》なしで不安になるほど突出していた。その反面、人間関係の不器用さも際立っていた。それは、あほんだらの両人に言えることだった。あほんだらは、世間的には全くの無名だったが、芸人の間では悪名が高く、東京の楽屋でも素行の悪さが度々話題に上がった。神谷さんの相方の大林さんは、隣町に住んでいた僕が名前を知っているほど、地元では有名な不良だった。だが喧嘩が強い多くの男がそうであるように、大林さんは情け深い男でもあった。ただ、陰険な悪意に対抗する術《すべ》を暴力しか持っていない人でもあったので、誤解されるのは仕方がなかった。

一方の神谷さんも周囲と上手く関係を築くのが不得意のようだった。聞こえてくる神谷さんと、僕の知っている神谷さんの間には大きな隔たりがあったが、熱海での一件を思い出すと、それらの噂も想像がつかないことはなかった。社会規範で論ずるのであれば、両人共に果てしなくあほんだらであった。神谷さんが東京に来ると知ってから、この胸を占める感情が希望的なものなのか、不安から押し寄せるものなのか自分でも判然としなかった。

姿の見えない金木犀《きんもくせい》を探しながら近所の中通り商店街を歩いていた。昨夜、確かに、この辺りで金木犀の香りがして、起きたら探しに行こうと楽しみにしていたのだ。いつもピンサロの前に立っている呼び込みのお兄さんが、自転車で僕の横を通り過ぎて行った。こんな駅前ではなかったはずだ。もう一度、アパートまで戻りながら探さなくてはと引き返そうとした時、神谷さんから、「吉祥寺に住む。どこおる？　夥《おびただ》しい数の桃」というメールが入った。僕は、「高円寺です。今から吉祥寺向かいます。泣き喚《わめ》く金木犀」と返信し、駅まで急ぎ、ホームへの階段を駆け上がり、総武線に飛び乗ると、ようやく気持ちが落ち着いた。車窓から色づきはじめた街の景色を見下ろしながら、吉祥寺まで揺られた。

土曜日の吉祥寺駅北口は学生や家族連れで酷く混雑していた。それぞれが目的を持ち軽やかに流れて行く人々の中で、周辺の重力を一人で請け負ったかのように、重たい空気を身に纏った男が真顔で突っ立っていた。日常の風景の中で目にする神谷さんは違和感の塊《かたまり》だった。

僕に気づくと神谷さんは嬉しそうに微笑み、「前から変な妖怪歩いてきたと思ったら徳永やないか」と言った。

「こっちの台詞ですよ。今すぐ大阪帰ってください。早く早く早く帰って下さいよ」と僕は言った。

神谷さんと一緒に吉祥寺の街を歩くのは、不思議な感覚だった。神谷さんは、なぜ秋は憂鬱な気配を孕《はら》んでいるのかということについて己の見解を熱心に聞かせてくれた。昔は人間も動物と同様に冬を越えるのは命懸けだった。多くの生物が冬の間に死んだ。その名残りで冬の入口に対する恐怖があるのだということだった。その説明は理に適《かな》うのかもしれないが、一年を通して慢性的に憂鬱な状態にある僕は話の導入部分から上手く入って行くことが出来なかった。

「凄いですね。とかないんかい」と言う神谷さんの声を聞いて我に返った。

「すみません」

「謝んなや。大阪で高速バスが走り始めた時から、お前にこの話して尊敬されようと楽しみにしてたのに」

臆面もなく自分の欲望を晒せるのは神谷さんの美点だと思う。

「いや僕はね、一年通して憂鬱な状態なんですよ。先祖が慢性的に危機的な状況に置かれてたんですかね？」

「せやな。もしかしたら一切危険のない環境やったから、自分達で別種の緊張状態を生み出してもうたんかもな」と神谷さんは早口で捲《まく》し立てた。

「だとしたら、結構阿呆ですね」

「どうやろな」

適当に歩いていたはずが、いつの間にか、井の頭公園に向かう人達の列に並んでいた。公園に続く階段を降りて行くと、色づいた草木の間を通り抜けた風が頬を撫で、後方へと流れて行った。公園は駅前よりも時間が緩やかに進んでいて、目的を持たない様々な種類の人達がいたので、神谷さんも馴染んだ。僕は、この公園の夕景に惚れていて、神谷さんを連れてこられたことを嬉しく思った。

池のほとりに腰を降ろし、太鼓のような長細い楽器を叩いている若者が平凡な無表情を浮かべていて、僕も確かに気にはなったのだが、神谷さんは周りを憚《はばか》ることなく、男の前で露骨に立ちどまると、首を傾げて不思議そうに男の顔と楽器を交互に見比べた。なぜ数多くある楽器の中から、この男はそれを選んだのか。しかし、神谷さんにしても、更に複雑な形状の、いかなる音が出るのか想像もつかないような楽器を選びかねない人種であることは間違いなかった。楽器の男は注目されるのが不快だったのか眉間に皺を寄せて、気怠そうに演奏をとめた。

「ちゃんと、やれや！」

突然、神谷さんが叫んだ。僕は驚きのあまり動けなかった。神谷さんは、両眼を見開き男を睨みつけていた。男は一瞬とまった後、自分の被る赤い帽子のつばに触れ、怒鳴られ

たことを恥じるようにうつむいた。その所作が、怒鳴られたのは自分ではなかったと信じたいように見えた。

「お前に言うとんねん!」

神谷さんは男を逃がさなかった。やはり、この人は頭がおかしいのかもしれない。とめるべきだろうか。でも僕は、なぜ神谷さんが感情を露わにするのか理由が知りたかった。

「お前がやってんのは、表現やろ。家で誰にも見られへんようにやってるんやったら、それでいいねん。でも、外でやろうと思ったんやろ? 俺は、そんな楽器初めて見た。めっちゃ格好良いと思った。だから、どんな音すんのか聴きたかったんや。せやのに、なんで、そんな意地悪すんねん。聴かせろや!」

男は神谷さんを見上げて、「いや、そういうんじゃないから」と鬱陶《うっとう》しそうに答えた。

「そういうのってなんや? なんか俺、変な奴みたいになってんのかな?」と神谷さんは不安そうな目で僕を見た。

僕は、「完全に変な奴ですよ」と神谷さんに教えて差し上げたが、神谷さんは、なぜ僕が笑っているのかわからないようだった。

僕は男に謝った上で、すぐに立ち去るので少しだけ楽器の音を聴かせて欲しいと頼んだ。男は渋々、太鼓らしきものを叩きはじめた。神谷さんは眼を瞑《つむ》り、腕組みしながら右足でリズムを取っている。男も神谷さんの様子を見て安心したのか、テンポを上げだした。夕

暮れの公園を歩く人達が珍しそうに僕達を見ていた。男が楽器を激しく叩く。益々テンポが上がり連打に入った。すると神谷さんは右足でリズムを刻んだまま、右手を前に出して、空気を押すように二度ほど手の平を動かした。それに気づいた男が少しずつテンポを落とし、適度なところで神谷さんは右手を戻した。男はテンポをそこで固定して再び演奏に没頭しだした。いつの間にか、僕達の周りに若い女性が何人か集まっていた。ますます乗ってきた男が、今までになかったような斬新な打ち方を始めると、神谷さんは右足でリズムを刻んだまま、再び右手を出してそれを制した。男は斬新な打ち方をやめて、元の打ち方に戻した。ほとんど神谷さんは指揮者だった。男の額からは汗が流れ、更に足をとめる人が増えた。僕も無意識のうちに、音に合わせて首を動かしていた。音と音の余韻が連鎖して旋律になった。そして、神谷さんもその一部だった。男は赤い帽子から出た長い毛を振り乱して楽器を烈しく叩いた。

その時、唐突に神谷さんが「太鼓の太鼓のお兄さん！　太鼓の太鼓のお兄さん！　真っ赤な帽子のお兄さん！　龍よ目覚めよ！　太鼓の音で！」と幼稚な詩を大声で唄い出した。僕がとめても、しばらく神谷さんは唄うことをやめなかった。

辺りが紫色に暮れ出すと雨粒が僕の肩を濡らし、次第にシャツを濡らした。それを合図に人垣は散り散りとなったが、男はそれでも楽器を叩き続けていた。混沌の様相を呈す場を、主謀者の神谷さんと共に後にした。「武蔵野珈琲店」という看板が眼に入った時には、

雨粒は激しく路面に弾かれていたので、僕達は迷わず階段を昇り店の扉をひいた。

薄暗い店内にいくつか置かれた照明が、温もりのある灯りで白い壁を照らしていた。静かにクラシックが流れていて、先程までの馬鹿騒ぎが夢のように感じられた。窓際の席に着くと、小走りで駅の方角へ走って行く人達が見えた。僕はブレンド珈琲を注文し、神谷さんはチーズケーキを注文したが、珈琲専門店なので珈琲を一人一杯は注文しなければならないらしく、神谷さんは「そういうこだわりは好きや。俺も漫才師や言うてんのに替え歌だけを要求されたら嫌やもんな」と言って、意外とごねずに一番高価なブルーマウンテンを注文した。公園では興奮状態にあったのだが、珈琲を飲みながら先程の状況を思い出すと、急に笑えてくるのが愉快だった。

神谷さんは降り続ける雨を背景に、「美しい世界を、鮮やかな世界をいかに台なしにするかが肝心なんや」と言った。

そうすれば、おのずと現実を超越した圧倒的に美しい世界があらわれると迷いのない言葉で語った。あの不思議な楽器を本気で叩かない世界は美しくない。男がどのような経緯であの楽器を手に取ったのかはわからない。しかし、男は世界のために人生を賭《と》して楽器を叩くべきなのだ。その美しい世界を台なしにするのも、また本気の刃でなくてはならない。

「太鼓の太鼓のお兄さん、真っ赤な帽子のお兄さん」しゃがれた声で神谷さんがつぶやい

た。

急に大声で叫んだので喉を潰してしまったのだろう。

「龍よ目覚めよ！　太鼓の音で！」という部分が際立って阿呆であったことと、語呂も悪かったことを僕が指摘すると、神谷さんは、「龍というのは本来、えげつないくらい格好良過ぎるものやからな。過ぎる、のがいいんやろな。大き過ぎるのも面白いもんな。なんでも過度がいいねん。やり過ぎて大人に怒られなあかんねん」と語り、満足気に珈琲を啜った。

「大人に怒られなあかんねん、という表現も、もはや月並み過ぎな不良ですもんね」

神谷さんの前だと、なぜか僕は自分の思いを正直に話せた。神谷さんは少し考え込む表情になった。

神谷さんが砂糖もミルクも使わないので、なんとなく僕も慣れない珈琲を苦いまま飲んだ。マスターがカップを洗う音が響いていた。

「正直、そこは難しいとこやな。月並みであっても格好良さの純度を保つもんもあるもんな」

「どういうことですか？」

「大人に怒られなあかん、って確かにどこかで聞いたことあんねん。でもな、聞いたことあるから、自分は知ってるからという理由だけで、その考え方を平凡なものとして否定す

るのってどうなんやろな？　これは、あくまでも否定されるのが嫌ということではなくて、自分がそういう物差しで生きていっていいのかどうかという話やねんけどな」

僕が知っている限り、神谷さんの作る漫才は誰もが知っている言葉を用いて、想像もつかないような破壊を実践するものだから、この話は神谷さんの根幹を示すものなのかもしれない。

「平凡かどうかだけで判断すると、非凡アピール大会になり下がってしまわへんか？　ほんで、反対に新しいものを端《はな》から否定すると、技術アピール大会になり下がってしまわへんか？　ほんで両方を上手く混ぜてるものだけをよしとするとバランス大会になり下がってしまわへんか？」

「確かにそうやと思います」僕は率直に同意した。

「一つだけの基準を持って何かを測ろうとすると眼がくらんでまうねん。たとえば、共感至上主義の奴達って気持ち悪いやん？　共感って確かに心地いいねんけど、共感の部分が最も目立つもので、飛び抜けて面白いものって皆無やもんな。阿呆でもわかるから、依存しやすい強い感覚ではあるんやけど、創作に携わる人間はどこかで卒業せなあかんやろ。他のもの一切見えへんようになるからな。これは自分に対する戒《いまし》めやねんけどな」と一語一語噛みしめるように言った。

「何かを批評するのって難しいですよね」

「論理的に批評するのは難しいな。新しい方法論が出現すると、それを実践する人間が複数出てくる。発展させたり改良する人もおるやろう。その一方でそれを流行りと断定したがる奴が出てくる。そういう奴は大概が老けてる。だから、妙に説得力がある。そしたら、その方法を使うことが邪道と見なされる。そしたら、今度は表現上それが必要な場合であっても、その方法を使わない選択をするようになる。もしかしたら、その方法を避けることで新しい表現が生まれる可能性はあるかもしらんけど、新しい発想というのは刺激的な快感をもたらしてくれるけど、所詮は途上やねん。せやから面白いねんけど、成熟させずに捨てるなんて、ごっつもったいないないで。新しく生まれる発想の快感だけ求めるのって、それは伸び始めた枝を途中でポキンと折る行為に等しいねん。だから、鬱陶しい年寄りの批評家が多い分野はほとんどが衰退する。確立するまで、待てばいいのにな。表現方法の一つとして、大木の太い一本の枝になるまで。そうしたら、もっと色んなことが面白くなんのにな。枝を落として、幹だけに栄養が行くようにしてるつもりなんやろうけど。そういう側面もあるんかもしらんけど、遠くからは見えへんし実も生《な》らへん。だから、これだけは断言できるねんけど、批評をやり始めたら漫才師としての能力は絶対に落ちる」

神谷さんの発言は世間に対する批評ではないか、という言葉は呑み込んだ。神谷さんの言葉に正義はあるが、それは例外的な人間や事例を潰さずに救済するためだけのものだと思った。やはり、よくわからない新興の流派は、その分野を護るために排斥《はいせき》するのも正当

な防護だと思う。ただし、全てが上手くいった場合、どちらが面白いかを考えると圧倒的に神谷さんの考え方だ。博打ではあるけれど。

「でも僕、物事を批評することからは逃れられへんと思います」

神谷さんは右手で珈琲カップを持ったまま両目を見開き動かなくなった。薄暗い店内には相変わらず静かに音楽が流れていて、同じフレーズを何度も繰り返すこの曲には聴き覚えがあった。題名はなんだっただろうか。

「せやな。だから、唯一の方法は阿呆になってな、感覚に正直に面白いかどうかだけで判断したらいいねん。他の奴の意見に左右されずに。もし、俺が人の作ったものの悪口ばっかり言い出したら、俺を殺してくれ。俺はずっと漫才師でありたいねん。この珈琲美味いな」と神谷さんは珈琲の表面を見つめながら言った。

「美味しいですね。でも、師匠の感覚には寄り添っていいんですよね？」

「今は、寄り添え。寄り添え？」と囁いて、神谷さんは少しはにかんだ。神谷さんは、普段使わない言葉を僕に釣られて使ってしまうことを恥じていた。その感覚も信用出来た。神谷さんの言葉とは矛盾するかもしれないが、流行の言葉を簡単に使いこなす器用な人間を僕は恐れていた。

「なあ、さっきから俺が珈琲カップを皿に置く時、一切音が出えへんようにしてたん気づいてた？」と神谷さんが言った。

「気づいてましたよ」

「ほな、言うて。やり始めたものの、お前が何も言わへんから、やめるタイミングなかったわ」と神谷さんは掠れた声を出した。

喫茶店を出る時に、マスターが、「これしかないのですが、返さなくていいので」と言って、一本のビニール傘をくれた。神谷さんは一本しかない傘をくれたマスターの優しさに感動していた。階段を降りて通りに出ると傘を差すほどでもない小雨になっていた。しかし、神谷さんは迷わず傘を開き歩き出した。僕も鞄から自分の折り畳み傘を出して開いた。すぐに雨は上がってしまった。雲はとても速く流れていて、その奥にある黒い空が見え始めていた。濡れた路面には街の灯りと車のヘッドライトが反射して煌めいていた。

「八十二番！」と神谷さんが急に謎の数字を叫んだ。自分の他にも、突発的に意味のわからない言葉を放つ人が存在することが嬉しかった。

「太鼓の太鼓のお兄さん！　真っ赤な帽子のお兄さん！　龍よ目覚めよ！　太鼓の音で！」

どちらが先に唄い出したのか、僕達は神谷さんが生み出した、ろくでもない歌を唄っていた。

雨が上がり月が雲の切れ間に見えてもなお、雨の匂いを残したままの街は夕暮れとはまた違った妙に艶《つや》のある表情を浮かべていて、そこに相応《ふさわ》しい顔の人々が大勢往来を行き交

っていた。傘を差しているのは神谷さんと僕だけだ。そんな僕達を誰も不思議そうには見なかった。神谷さんは傘を差し続けている理由を説明しようとしなかった。

ただ、空を見上げ、「どのタイミングでやんどんねん。なあ?」と何度か僕に同意を求めた。喫茶店のマスターの厚意を無下にしたくないという気持ちは理解出来る。だが、その想いを雨が降っていないのに傘を差すという行為に託すことが最善であると信じて疑わない純真さを、僕は憧憬と嫉妬と僅かな侮蔑が入り混じった感情で恐れながら愛するのである。

＊

年の瀬の街を行く人々は一様に黒っぽい洋服を着て、どこか足取りも慌ただしげに見えた。吉祥寺駅北口の広場には、クリスマスと正月兼用の大規模な電飾が施され街を鮮やかに照らしていたが、幾何学模様に免疫がなかったのか、神谷さんは「これ、まだ途中やろ?　最終的にどうなんのか楽しみやわ」とつぶやいていた。おそらくはこれで完成だと思われたが、それを伝えていいものかどうか迷った。吉祥寺が賑わうのはいつものことだったが、気温の変化が鼓膜にも変化をもたらすのか、街の喧騒さえもどこかラジオのスピーカーから聞こえるような朧《おぼろ》げな響きがあった。

僕達は吉祥寺を定点観測するかのように、ほぼ毎日出没し、あてもなく彷徨《さまよ》い歩き、疲れるとハーモニカ横丁の「美舟《みふね》」で肉芽という料理を一皿だけ注文し、それをあてに呑み、その後は適当に開いてる安そうな店に入った。帰る頃には終電はない。神谷さんは決まって、「近所やし家来たら」と誘ってくれたが、神谷さんに会う以前は泥酔するまで酒を呑む習慣がなかったので、先輩の前で酒に潰れるのはよくないと思い、小銭がある時は漫画喫茶で眠り、一銭も使える金がない時は、井の頭公園のベンチで始発が走るのを待った。

その日も、泥酔した僕を神谷さんは家に誘った。「嘔吐感が、港一の荒くれ者の船に乗った時の五倍なので」と言って断ろうとすると、「たとえが貧弱で心配やから修業した方がええわ」と帰らせてくれなかった。

「お前、もう酔うてるから俺の家来い」

神谷さんは帰ろうとする僕の腕を引っ張り無理やり連れて行こうとした。僕はいつ吐いてもおかしくない状態だったが、神谷さんも充分過ぎるほど酔っていた。僕は、なんとしても帰りたかったので、「もう、いいですって」と言い、神谷さんの腕を強引に振りほどくと、神谷さんは急に僕の臀部を強く蹴りあげた。真夜中の駅前商店街に打撃音が響き、僅かに反響して、ずっと遠くを歩いていたホームレスがこちらを振り返るのが見えた。

「痛いの、なんで蹴んねん！」

そう僕が言うと、神谷さんは膝から崩れ落ちながら笑い転げた。

「怒んなや。お前酔うてるから心配やねん。取りあえず、俺の家に行こ」納得し難い説明を残し、神谷さんは一人で歩き出した。僕は仕方なく嘔吐を堪《こら》え、焼けつくような喉の痛みに耐えながら、神谷さんの後をついて行った。しかし、歩けども歩けども神谷さんの家には着かない。いつもの悪ふざけかと思ったが、神谷さんは、「徳永大丈夫か！」と時々僕の方を振り返り、本気の表情だったので、ふざけている訳ではなさそうだった。吉祥寺通りを永遠と思えるほど歩いた。右手の練馬立野郵便局を越えた辺りから東の空が白んできた。車が走っていないことをいいことに車道のセンターラインを悠々と歩く神谷さんを見ていると、嘔吐感と相まって俄《にわ》かに腹が立ってきた。

「どこまで行くんですか？　もうここ吉祥寺ちゃいますよ」

「そんなん言うなよ。寂しいやんけ」

神谷さんは怨めしそうな表情で、そう言った。

「なんで普通のこと言うんですか？」

「え？　そう怒るなよ」

今度は怯えたような顔をする。

「普通のことを、普通の表情で言うのやめて下さいって」

「なにが？」

眉を上げ不思議そうな顔と口調で言う。

「なにが？　じゃなくて」

「そんなん言うなよ。寂しいのお」

今度は寂しそうな顔で言った。

「その普通のこと言いながら、言葉とぴったりの普通の顔すんのがボケって、僕以外の人にはわかりませんからね」

「そんなこと、言うなって」

困ったような顔をしている。

「なんか、変なこと言えや」

「徳永、寂しいこと言うなよ」

一々、言葉を発する時は一旦立ちどまり、振り返って自分の顔を丁寧に僕に見せた。

「普通のこと言うことがボケってことは、もはや通常狂ってるってことですからね」

「人のことを、そんな風に言うたらあかんねんで」

眉毛を下げた表情が特に腹が立つ。

「吐いていいですか？」

「朝、仕事行く時に自分の家の前にゲロがあったら嫌やろ？　自分がやられて嫌なことはやったらあかんと思うけどな」

まだ普通のことを言っている。この異常なまでに執拗な面も神谷さんの特性だった。

「そうなんですけど、ほんまに普通のこと言うのやめて貰えません？　なんか気持ち悪いんですよ」

神谷さんはさっきからメールを打ちながら歩いていたようだが、今度は電話がかかってきた。

「もしもし、もうすぐ徳永と帰るから水買っといて。こいつ酔うとんねん」と言って電話を切った。

もうすぐ着くと言ってからも、かなり歩いて、いよいよ大通りに出た頃には空は見たくない程までに明るくなっていた。これは青梅街道だろう。トラックばかりが何台も通過する青梅街道を突っ切って、住宅街を進み、少し広めの道を東に進んで行くと、「富士見通り」という商店街らしき通りに出た。もう、すっかり朝だった。そこからも、まだ歩かされた。「富士見通り」は、いつの間にか「中央通り」になっていた。ようやくロータリーらしき広場と駅の建物が見え、「西武鉄道　上石神井駅」という文字が目に入った。全く以《もっ》て吉祥寺ではなかった。神谷さんが、「ここや」と言った建物は、随分古かったが、想像していたよりも、品のあるアパートだった。二階に昇り、神谷さんが鍵を開けると敷きっぱなしであろう布団の上に座っている女の人が見えた。「おい、徳永に水呑ませたってくれ」と言って神谷さんが布団の上に飛び込むと、大きな音がして部屋全体が揺れた。

「朝だから、下の人に怒られちゃうよ」

ボーダーのスウェットパンツを穿いた華奢《きゃしゃ》な女の人は優しい声で神谷さんにそう言った。

「初めまして、徳永です」と僕が挨拶すると、女の人は「真樹《まき》です」と微笑みながら小さな声で名乗った。

「徳永、早く寝ろ!」と、神谷さんは、僕を無理やりそこに寝かした。僕は横になると頭に痛みが走ったので、大人しく眼を閉じることにした。

「コンビニ行ってくるけどなんかいるか?」

神谷さんの問いかけに答える余裕がなく、僕は黙っていた。扉が閉まる音がして、階段を降りる二人の足音が聞こえた。朝日が眩しくて、眉間の辺りがこそばゆかった。あの女の人は神谷さんの彼女なのだろうか。そもそも、ここは神谷さんの部屋ではなく、真樹さんという人の部屋に神谷さんが転がり込んでいるのかもしれない。こんな所で眠っても、体力は回復しない。家に帰って自分の布団で眠りたい。この時間なら、もう始発は走っているだろう。なぜ、ここまで僕は連れてこられたのだろう。頭が痛かった。

神谷さんと呑むと、いつも最後は前後不覚になった。有益な話なんてほとんどなかった。例えばこの日は、手品師と怪力と、他にどんな種類のスペシャリストが仲間にいれば完全犯罪の殺人が実現出来るかということを二人で長時間にわたり真剣に論議していた。神谷さんは「ゴルゴ13」だと言った。僕は「自殺志願者」だと言った。ゴルゴだと失敗はほとんどないだろう。しかし、莫大な報酬が必要になる。そんな法外な金を用意する過程で足

がつく。それは完全ではない。自殺志願者の場合は殺したいチームと死にたい当事者双方の利害が一致しているし、完全な遺書が作成出来る。だが、神谷さんは、自殺志願者の場合、自殺志願者しか殺せない、それだとただの人を殺したいだけの集団になってしまうということに難色を示した。殺すのは悪い敵じゃなければならない。自殺志願者がいたら思い留まらすように説得すべきだと神谷さんは場違いの正論を持ちだした。この議論に道徳の観点を導入すると随分話が複雑になる。自殺志願者などという偏見に満ちた言葉を軽はずみに使ったことも後悔した。だが厳密に言うと、悪い敵も本当は殺してはいけない。誰かが階段を昇る音が聞こえた。誰かが僕を殺しに来たのかもしれない。

ドアが開く音に続き、ビニール袋が床に置かれる音がした。笑いながら、「こいつ寝とる」と言う神谷さんの声が聞こえた。眼を開けようと思えば開けられるが、開けない方がいいように思った。神谷さんは、眼を閉じている僕を見て、笑い続けていた。

そして、真樹さんに「なんか、こいつムカつく弟みたいやわ」と恥ずかしいことを言った。神谷さんが僕を飛び越えて、窓際に移動するのが足音でわかった。神谷さんの押し殺しても洩れてしまう笑い声が耳にこそばゆかった。まぶたの上に光線が当たる。眉間の辺りを小さな虫が這い回るような痒みを感じた。「やめなよ」という真樹さんの声が聞こえる。我慢出来なくなって、ゆっくりと眼を開くと、神谷さんが楽しそうにカーテンをひらひらと動かして、僕の顔に朝日を当てていた。

「やめてください」と僕が言っても神谷さんはやめない。

「徳永の顔面にブラック・ジャックみたいな日焼けあと、作ろっと」と言って、神谷さんは笑っている。

「それの、なにが面白いんですか」僕は毛布で顔を隠した。

「おい、顔隠すのせこいぞ！」と、神谷さんは僕から毛布を奪い、再びカーテンをひらひらさせた。

「徳永くん、寝かしてあげた方がいいよ」

心配そうに真樹さんが言った。

僕は、顔に日光が当たらないよう身体を素早く動かし、足があった方に頭を持ってきた。まだ、神谷さんの笑い声が聞こえる。次の瞬間、布団ごと僕の身体が宙に浮き、反転した。眼を開けると、神谷さんと真樹さんが、それぞれ布団の端を持ち、僕を乗せたまま回転させていた。

「真樹さん、なんで手伝ってるんですか？」と僕が訊くと、真樹さんは恥ずかしそうに、

「ごめんなさい」と言って、本当に申し訳なさそうにした。僕は眠ることを諦めて、布団の上にあぐらをかいた。真樹さんが持ってきてくれたペットボトルの水を飲みながら、部屋を舞う埃《ほこり》が朝日に照らされ光っているのを眺めていた。真樹さんは、そんな僕を見て
「ごめんなさい」と謝りながら笑い続けた。

＊

　年が明けて間もない頃、珍しく神谷さんから渋谷に呼び出された。渋谷駅前は幾つかの巨大スクリーンから流れる音が激突しては混合し、それに押し潰されないよう道を行く一人一人が引き連れている音もまた巨大なため、街全体が大声で叫んでいるように感じられた。人々は年末と同じ肉体のまま新年の表情で歩いていて、おざなりに黒い服を着た人が多かったが、時折、鮮やか過ぎる服を纏い一人で笑っている若者などもいて、むしろ、こういう人物の方が僕を落ち着かせた。神谷さんはハチ公前で煙草を吸っていた。吉祥寺で見る神谷さんには多少慣れてもきたが、渋谷の雑踏を背景に見る神谷さんは、やはり空間から圧倒的に浮いていた。神谷さんが服装に無頓着で現代的ではないことも、その要因の一つなのかもしれなかった。

「初詣以来やな。真樹が謝ってたで」

神谷さんはショートホープの煙を吐きながら、そう言った。

初詣には、神谷さんと真樹さんと三人で武蔵野八幡宮に参り、その後、真樹さんの家でキムチ鍋を食べた。僕が例のごとく酒に酔い、漫才のことを熱く語っていると、神谷さんに命じられた真樹さんが、部屋のどこかから僕に向かって寄り目にし、舌を出す典型的な

変な顔をしてきて、それを見つけ次第、僕が真樹さんを咎《とが》めるという正月らしからぬ謎のやり取りを何時間も繰り返していたのだが、徐々に激化していき、最後の方は一旦僕の死角に消えた真樹さんが、部屋の片隅から僕に向かって、中指を立てたりしていた。おそらく、その件について謝っているのだろう。

神谷さんは信号が青に変わったタイミングで煙草を捨て、スクランブル交差点を横断しながら、「徳永、苦手かもしらんけど、女の子いてるわ」と言った。神谷さんは他の歩行者とよくぶつかった。僕も同じようにぶつかった。宇田川交番の近くに居酒屋が何軒も入った雑居ビルがあり、そのうちの一軒で女性達と待ち合わせているようだった。いつも呑む吉祥寺の店よりも現代的な作りで、店内に入った段階で僕はかなり気遅れしていた。女性が三人と、神谷さんの事務所の後輩が一人いた。僕は男女が出会う場としての飲み会に参加したことが一度もなかった。神谷さんの事務所の後輩は僕よりも芸歴が浅いようで丁寧に挨拶をしてくれたが、無愛想な奴だと思われたかもしれない。神谷さんは、僕や真樹さんと一緒にいる時よりも少し明るいように見えた。僕は普段よりも静かにしていた。この場に相応しい言葉が一つも出てこなかった。僕の隣の席に座る女性が、やたら耳元で話しかけてくるのが鬱陶しかった。

神谷さんの独壇場だった。女性達も神谷さんの発言で、よく笑った。僕の隣の女性だけが小声で僕に、「大丈夫?」などと話しかけてきて、無理やり二人の空間を作ろうとする

のが煩《わずら》わしかった。その回数が増す度に女性の眼は落ち着いていった。僕は、この女の話ではなく神谷さんの話を聞きにきたのだ。トイレから部屋に戻った時、僕は元にいた場所ではなく神谷さんの隣に座った。

「どこ座っとんねん！」と神谷さんが反射的に声を上げると女子達が一斉に笑い声を上げた。僕は黙って冷えた唐揚げを見つめていた。

僕の隣に座っていた女性が、「私、嫌われちゃったんですかね？」と言った。僕は黙っていた。この日に限って、全然酔っていなかった。女性達が僕のことを不思議な生き物のように見ていた。

「こいつ、なんか中学生みたいやろ？」と神谷さんが言うと、僕以外の人達が同意を示した。僕と神谷さんでは才能に雲泥《うんでい》の差があるということは自覚していたけれど、こんなにも人としての距離を感じたことは今までになかった。違う世界の人間のように見えた。それでも他の人よりは知っている顔に思えたので、この場ではこの人を手掛かりにするしか方法がなかった。

「でも、こいつこう見えて盗聴が趣味やからな」と神谷さんが言うと、一同は大袈裟に驚いた。

「せやんな？」と神谷さんが僕に聞いてきたので、僕が「はい」と返事をしたら、なぜか皆が笑った。

「すっげえ、やばい人じゃないですか？」と神谷さんの後輩が言うと女性達がまた派手に笑った。

盗聴と言っても、なにか機器を使ったわけではない。たまたま、神谷さんと真夜中の住宅街を歩いていたら、女性の喘《あえ》ぎ声が聞こえてきたので立ちどまって二十分ほど聞いていたに過ぎない。その夜から二週間ほど、毎晩その場所まで通っただけである。しかし、何度通っても、あの声は二度と聞こえてこなかった。何日目かの夜に、あれは映像の音だったのではないかという疑問が頭に浮かんだ。だが、あの音の切実さはアパートから実際に漏れた声だという確信もあった。その時、僕も神谷さんも映像の音である可能性が頭をよぎらなかったことが何よりの証拠だと思った。そんな疑問が起こってからは、その虚実を確かめたいという欲求もあって通った面もあったので、盗聴好きと断定されることには抵抗があった。

「えっ、なんで盗聴で興奮するんですか？」と一人の女性が僕に向かって質問を投げかけた。

「対象者が誰かに聞かれることを前提で放っている音ではないからです。本来、聞ける音ではないので」

答えたくなかったが、場を白けさすことも、僕は望んでいなかった。

「研究者じゃん！」ともう一人の女性が言うと、皆が笑った。そんなことは気にもならな

いが、神谷さんが一緒になって楽しそうに笑っているのが苦痛だった。師匠がそちら側にいると、僕はそいつらを取るに足らないものと簡単に否定することが出来なかった。最後まで、僕は全く飲み会に馴染まなかった。神谷さんは、全ての女性達と連絡先を交換していた。とにかく僕は早く帰りたかった。

僕の願いが通じたのか、終電があるうちに解散となり、僕は神谷さんと井の頭線で吉祥寺に向かった。渋谷発なので、一本だけ電車をやり過ごすと、二人で並んで座ることが出来た。神谷さんは随分と満足そうだった。

電車が走り出すと、「今日も盗聴行くんか?」と神谷さんが言った。

「あんなん、急に言わんといて下さいよ」と僕は神谷さんを見ずに答えた。

「いや、俺等な、二人だけでずっと喋ってたら、ほんまに趣味の世界に行ってまうから、たまには他の人とも会話して自分がどういう人間かわかっとかなあかんねん。でも笑ってたやん」

「いや、笑われてただけでしょ」

僕は自分の意志で人を笑わせたことがあるのか急に不安になった。

「笑われたらあかん、笑わさなあかん。って凄く格好良い言葉やけど、あれ楽屋から洩れたらあかん言葉やったな」と神谷さんが言った。

下北沢の駅で人が沢山降りたが、降車したのと同じくらいの人間がまた乗ってきた。

「あの言葉のせいで、笑われるふりが出来にくくなったやろ？　あの人は阿呆なふりしてはるけど、ほんまは賢いんや。なんて、本来は、お客さんが知らんでいいことやん。ほんで、新しい審査の基準が生まれてもうたやろ。なんも考えずに、この人達阿呆やなって笑ってくれてたらよかったのにな。お客さんが、笑かされてる。って自分で気づいてもうてんのって、もったいないよな」

「だからこそ、新しい基準を越えて生まれるものもあるんじゃないですか？」

「それも一部あるんやろうけど。名画の上から、色んな絵具足し過ぎて、もう元に戻れんようになって、途方に暮れてる状態に思えるねんな。その点、お前は自分の面白い部分に自分で気づいてないやろ？　それがいいねん」

「誰がほんまの阿呆やねん！」

「やかましいわ」と、神谷さんは優しい声で僕を黙らせた。

明大前で多くの人が降りて、ようやく呼吸がしやすくなった。居酒屋にいた時とは違う、普段の神谷さんに戻ってきた。神谷さんは、僕と遊んでいると周りから偽善者と思われないか不安になるとたまに言うことがあった。その言葉には僕に対する侮蔑の意味も少しは含まれているのだろうけど、それはあくまでも冗談の一つと捉えていた。自分のことになると客観視することが難しいのだが、今日の飲み会での僕の立ち居振る舞いを振り返ると、あながちただの冗談ではないのかもしれないと思った。おそらく、女性達は変な男がいた

と僕のことをどこかで話すだろう。神谷さんの後輩は僕のことを芸人の癖に勘の鈍い奴だと思っただろう。

僕は周囲の人達から斜に構えていると捉えられることが多かった。緊張で顔が強張っているだけであっても、それは他者に興味を持っていないことの意志表示、もしくは好戦的な敵意と受け取られた。周りから「奴は朱に交わらず独自の道を進もうとしている」と半ば嘲《あざけ》りながら言われると、そんなことは露程も思っていなかったのに、いつの間にか自分でもそうしなければならないような気になり、少しずつ自分主義の言動が増えた。すると、その言動を証拠として周りがそれを信じ始める。ただし才能の部分は一切認めていないので残酷な評価になる。確固たる立脚点を持たぬまま芸人としての自分が形成されていく。その様に自分でも戸惑いつつも、あるいは、これこそが本当の自分なのではないかなどと右往左往するのである。つまり、僕は凄まじく面倒な奴だと認識されていた。

僕のような退屈で面倒な男と遊ぶことによって、周囲から色眼鏡で見られ、偽善者と呼ばれる可能性があるということを、この時まで現実的に考えたことがなかった。僕は神谷さんを、どこかで人におもねることの出来ない、自分と同種の人間だと思っていたが、そうではなかった。僕は永遠に誰にもおもねることの出来ない人間で、神谷さんは、おもねる器量はあるが、それを選択しない人だったのだ。両者には絶対的な差があった。神谷さんは他の人のように僕に対して身構えたりせず、徹底的に馬鹿にすることもあれば、率直

に褒めてくれることもあった。他の尺度に左右されずに僕と向き合ってくれた。

そんな神谷さんに寄りかかっていたため根本的なことを忘れかけていた。神谷さんの突飛な言動や才能を恐れながらも、変態的であることが正義であるかのように思い違いをしていた。いや、芸人にとって変態的であることが一つの利点であることは真実だけれど、僕はただ不器用なだけで、その不器用さえも売り物に出来ない程の単なる不器用に過ぎなかった。それを神谷さんの変態性と混同して安心していたのである。僕が思っていたよりも事態は深刻だったのだ。


永福町でまた人が降りた。乗ってくる人はいなかった。開いたドアから流れてきた冷たい風が足元に纏わりついた。動き出した窓に、僕と神谷さんの神妙な顔が映った。

「神谷さん、真樹さんと付き合ってるんですよね？」

僕は気持ちを変えようと、前から気になっていたことを聞いてみた。

「いや、家に住ませて貰ってるだけやで」

「そうなんですか」

初めて真樹さんに会ってから、神谷さんに呼ばれて真樹さんの家にお邪魔することが頻繁にあった。外で三人で食事をして一緒に帰ることも多かった。真樹さんは、神谷さんに対して献身的だったし、僕にも優しくしてくれた。今日、知らない女性達と呑んでいる時

にも、僕は真樹さんのことが何度か頭を過《よ》ぎった。真樹さんと三人で呑む方が楽しい。僕が真樹さんを好きな理由の一つは、神谷さんの才能を認めていることにあった。神谷さんがなんと言おうと、真樹さんは神谷さんに心底惚れ込んでいるということが同じ空間にいてわかった。

「彼女さんやと思ってました」と僕が言うと、

「そうやんな」と神谷さんは気のない返事をした。

「好きじゃないんですか？」

「お前と喋ってると学生時代思い出すわ」

「僕、大学行ってたら、まだ四年生の歳ですからね」

「それは知らんけど。いや、家賃も入れてないし、こんなけ色々やって貰ってるから、ちゃんとしたいねんけど、俺なんかと本気で付き合ったら地獄やで」

「そうですね」

「否定せいよ」と神谷さんは前を見たまま淡々と言った。

「あいつな、徳永君と行くんやったら言うて、いつも金持たしてくれんねん。だから俺、毎日お前と遊んでることになってる」

「一緒に住んでて、付き合うという話にならないんですか？」

「何回かなったな。ちゃんとした彼氏作り、って言うた」

終点の吉祥寺を告げるアナウンスが流れる。電車は遠慮気味にブレーキ音を立てて速度を落とす。

「真樹さんは、なんて言うんですか？」

「わかったって」

「なんか、嫌です」

真樹さんは吉祥寺のキャバクラで働いていると聞いたことがある。神谷さんが転がり込んだタイミングで、カラオケのバイトを辞めて、夜の仕事を始めたらしい。電車は吉祥寺に到着した。渋谷よりも更に温度が低いような気がしたが、僕の身体が芯から冷えているだけかもしれなかった。改札を抜けて北口へ出る。この街の風景は優しい。ようやく緊張感から解放される安堵が全身に広がっていった。

「ハーモニカ横丁行こか？」

「行きましょか」

路傍の吐瀉物さえも凍える、この街を行く人々は誰も僕達のことを知らない。僕達も街を行く人のことを誰も知らない。

＊

子供の頃からテレビで見ていた大師匠の訃報が報じられた。底抜けに明るくなくとも、早口でなくとも、図抜けた声量がなくとも、誰にも真似出来ない漫才が実現出来ることを証明してくれた偉大な漫才師だった。もちろん、実際に漫才の世界に入ってみると、強烈な個性と印象でネタを引っ張るのではなく、純粋な話芸だけで漫才を成立させることがいかに難しいことであったか思いしらされもした。だが、漫才とは二人で究極の面白い会話をするものであるという根本に立ち戻らせてくれる、貴重な存在だった。

訃報を聞いてから、僕はいてもたってもいられなくなり、高円寺の自宅から程近い公園に相方の山下を呼び出した。すぐにネタ合わせがしたくなったのだ。ネタを考えながら口で合わせる時は新宿の喫茶店。実際に立って合わせる時は、この公園が多かった。相方は僕の衝動に同調するタイプではなかったので、突然呼び出した理由には触れなかった。古い自転車のブレーキをキーキー響かせ到着した時から相方の機嫌はよくなかった。暇さえあればネタ合わせをやりたい僕と違い、相方は直近にライブがない時のネタ合わせは気が乗らないようだった。取りあえず、次のオーディションでやる予定のネタを合わせてみたが、あまり上手く行かない。繰り返し何度もやってみたが、いつも以上に嚙み合わない。お互いのテンポがまるで合っていないのだ。相方は僕の言葉を聞いていない。耳で聞いていないから、トーンが合わない。僕は相方の言葉を聞いてから次の言葉を話すので、一瞬の間が空いてしまう。日常の会話なら気にならない程度の間ではあるが、相方の話す速度

の中では、その間が異様に際立ってしまう。

もっと僕の言葉を聞いてから反応するようにと相方に要求すると、「何回もやってるネタで、聞いてくれって言われても」と返ってきた。反射的に殴りそうになった。こいつは何もわかってない。新ネタなどは毎日でも作れる。漫才はそういうことではないのだ。そんな感覚でやっているから、いつまで経っても僕達には自分達のリズムというものが見つからないのだ。ベンチに座り、無言の時間が暫く続いた。陽が傾き始め、すぐ裏の純情商店街からは惣菜の匂いが漂ってきている。部活帰りの女学生達が笑いながら僕達の座るベンチの前を横切っていく。それぞれ、何か細長い物体に黒い布を被せたものを持っている。あれは弓だろうか、あるいは薙刀《なぎなた》か、いずれにせよ、武器の類だろう。

「ネタ合わせ大事なんはわかるけど、俺にも予定はあるし急はやめてや」と相方が言った。漫才をやるために上京して来た僕達に、漫才よりも優先するべきことなどないのにだ。

「ほな、来る前に言えや！」

珍しく怒声を上げた僕は、その叫んだ勢いのまま帰ろうと、咄嗟《とっさ》に立ち上がった瞬間、強烈な力によってベンチへと引き戻された。デニムのバックポケットに入れていた財布とベルトループに付けていたウォレットチェーンがベンチの溝に挟まっていたのだ。怒って帰ったはずの僕は、元通り相方の横に収まっていた。相方が俯《うつむ》き笑いを噛み殺していた。

僕は、ゆっくりと両手を使い鎖が切れないように、ウォレットチェーンをベンチの溝か

ら外した。その一部始終を相方に見られていた。そんな不憫で憐れな僕の横で、相方は作り物の平然面を浮かべていた。

血が昇った頭を鎮めるためトイレに行った。僕達はネタのことになると揉めることが度々あった。それは方向性の違いというよりも、意識の違いによるものだった。僕は一人で焦り過ぎているのかもしれない。だが、神谷さんは毎日のように大林さんとネタ合わせをしていた。その姿勢を見ていると、それは若手芸人にとって常識的なことのように思われた。トイレを出て相方の方には戻らず、神谷さんに電話をかけた。ネタ合わせをしていて、相方と揉めたことを簡潔に話した。ウォレットチェーンの件は敢えて話さなかった。腹の立つ話が、面白い話になってしまう可能性があったからだ。感情的には後、二、三日寝かさなければならない。

「殴ったろうかなと思ってるんです」

そう言葉にしてみると、実際に自分がそうしたいように思えてきた。僕達は殴り合いの喧嘩をしたことがなかった。それをすることによって、何かが変わるかもしれない。

「殴ったら解散やで。だから、手は出したらあかん」と神谷さんが優しい声で言った。その神谷さんの後ろで、誰かの話し声と笑い声が幽《かす》かに響いている。

「腹立つんです」と僕は子供じみたことを言った。

神谷さんが何かを飲み、グラスをテーブルに置く音が聞こえた。

「ネタ合わせ終わったら、家おいで。一緒に飯食おうや。お前、一番好きな食べ物なんや？」と神谷さんが言った。御馳走してくれるのだろう。

「焼き肉です」

僕は正直に答えた。

「違うやん。お前一番好きな食べ物なんや？」と神谷さんが同じ質問を繰り返した。

現実的に家で食べられる物を言えということだろうか。

「お前の一番好きな食べ物なんや？　って聞いとんねん」

「鍋です」

そう僕が答えると、神谷さんは黙りこんでしまった。神谷さんの沈黙の奥から、大勢の笑い声が響いている。

「な、鍋？」

ようやく、神谷さんが言葉を発した。

「はい、鍋です」

「あんた鍋食べんの？」

「いや、よう一緒に食べてますやん」

「えらい丈夫な歯しとんねやな」

「いや、違いますやん」

「僕は歯が弱いからあかんけど、鉄の鍋と土鍋とどっちがいいの？」

「何を言うてますの」

神谷さんが急に馬鹿になってしまった。

「どちらが、齧《かじ》りやすいの？」

「いや、鍋って、鍋そのものは食べないんですよ」

「お前、鍋食うって言うたやないか？」

「言いましたけど、鍋の中身を食べるんですよ」

「鍋の実かいな？」

「そうです」

「鍋の実？　鍋の、どこ剝いたら実が出てくるの？」

「果物みたいに言わんといてください。だから、水炊きとかキムチ鍋とか、散々一緒にやってるでしょ」

「つまり、鍋料理のこと言うてんの？」

「そうですよ。なんで急に阿呆になったんですか？　しつこくて、ちょっと怖かったですよ」

「ほな、牛の牛肉買っとくわ」

「牛肉は牛です。阿呆やなあ」

僕が失礼な物の言い方をすると、神谷さんはククと一人で笑い、

「難しいな、ほな今夜はジンギスカンにしよ」と言った。

「余計、難しいです」

「お前、あのジンギスカン用の鍋持ってるか？」

「持ってるわけないでしょ」

相変わらず、話し声と笑い声と大きな拍手が聞こえてきた。テレビを流しながら酒を呑み、適当に話していたのかもしれない。

電話を切り、話し込んでしまったことを後悔しながら、相方の所に戻った。神谷さんと話したことにより気持ちは充分過ぎるほど落ち着いていた。相方は携帯の画面を見つめ、ベンチで足を組み、片方の汚れた黒のジャックパーセルを空中で揺らしていた。

相方は、突然「三つ謝るわ」と言った。相方に謝られたことなんて今までにない。もちろん、僕も相方に謝ったことなどない。説明は難しいが、コンビというのは、そういう独特の関係性なのだ。ましてや、僕達は中学からの同級生なのだから、少々揉めたぐらいで謝罪という習慣はない。

「まず、一つはネタ合わせより大事な予定があるみたいに言うてもうたこと」

本当に、三つ謝るようだった。

「もう一つが、ネタ考えてるのはお前やのに、ありネタのこと言うてもうたこと」

しっかりと謝ってくれている。急に恥ずかしくなってきた。

「もう、一つが」

そう言ったまま相方は黙ってしまった。最初は感情が昂《たか》ぶって言葉にならないのかと思ったが、表情を見る限り、そうではないようだ。同じ場所に繰り返し唾を吐いて地面を湿らせている。これは、困った時によくやる相方の癖だった。なぜ、二つしか謝ることがないのに、三つ謝るなどと言い出したのだろう。おそらく、何を言うのか途中で忘れてしまったのだろう。相方も、それなりに阿呆なのである。買い物袋を持った人達が純情商店街のざわめきを引き連れ公園を突っ切っていく。僕達はベンチに腰掛けたまま、夜の気配に言葉を溶かし、あらゆることを有耶無耶《うやむや》にして何事もなかったかのような顔でいた。

*

渋谷に向かう電車の中から町を見下ろすと至る所に桜が咲いていて、直視するには眩しすぎる。春という季節を恨めしく思うようになったのはいつからだろう。視線を車内に戻すと、学生や会社員が視界に入り、今度は激しい焦燥に駆られる。

一向に生活は変わらなかった。連日ネタ合わせに明け暮れたが、収入にはならない。なんとか深夜バイトで生活費を稼ぎ、それ以外の夜は神谷さんと呑んだ。月に数度の劇場で

の仕事だけが生き甲斐だった。それを頼りに毎日身体を引きずった。

渋谷駅前の雑踏を抜け、センター街を上って行くと、右手の雑居ビルにシアターDという客席数が百に満たない小さな劇場がある。東京で活動する若手芸人にとって重要な場所であり、ここで初舞台を経験する者も多かった。以前は各事務所から期待の若手が選ばれて出演する、「渋谷オールスター祭」と銘打つ伝統的なライブが定期的に開催されていた。しかし、自分達を筆頭にスターらしき人物は一人も見当たらなかった。汚い服を身にまとい渋谷の街を這いつくばって、ようやく辿り着いたような者ばかりが、小さな楽屋に入って来る。不思議なのは、それぞれが種類の違う笑みを浮かべていることだ。本当に楽しくて笑っている者。どのような表情で楽屋に入ればいいのかわからず照れて笑っている者。卑屈な感情から笑っている者。自分で笑っていることに気づいてない者。僕は自分の表情を見られたくないので、毎回うつむいて静かにドアを開けた。狭い楽屋には煙草と男の匂いが満ちていた。香盤《こうばん》表で自分の出番を確認する。僕は一ブロック目の三番手だった。香盤表の真ん中辺りに、「あほんだら」という文字が見えた。今日は神谷さんも一緒だったのだ。後ろから肩を叩かれるのと同時に「お客様」という声がしたので、振り返ると、神谷さんが立っていた。

「おはようございます。今日一緒やったんですね」と僕は言った。事務所が違うので劇場で会うと新鮮だった。

「せやな」と答えた神谷さんの感情は読み取れなかった。

そのまま会話を続けながら僕達は非常階段に出た。神谷さんは煙草を吸いながら、僕の言葉に耳を傾けていた。いつもより神谷さんは大人しかったような気がしないでもない。リハーサルの時間まで話し込んでしまったので、そのことを意識したのは帰りの電車に揺られている時だった。同じ車両に乗っていた会社員が嘔吐して、ほとんどの乗客が隣の車両に移動していくので、僕も電車が駅のホームで停車したタイミングで一旦ホームに降り、慌てて隣の車両に乗り込んだのだが、僕の後からも嘔吐物の影響で次々と乗客が乗り込んできたので、僕は車両の中程まで押し込まれた。背中が圧迫されて息苦しい。体勢を変えてそれを解消しようと顔を上げると、中吊り広告の「接客」という見出しが眼に入った。妙な既視感は劇場で神谷さんが僕に対して、「お客様」と声をかけた時の記憶に直結した。失礼なことをしてしまった。僕は、あの無邪気な「お客様」を全く処理していなかった。

ああ、と思わず声が出てしまうほど後悔した。すぐに、「お疲れ様です。今日はありがとうございました。今日、楽屋に入られてすぐに、お客様。と、おっしゃってましたよね。せっかく、師匠が独特の入り方をして下さったのに、現実的な返答をしてしまい申し訳ございませんでした。　カノン進行のお経」という文面を作成しメールを送信すると、直後に返信が来た。開くと、「ほんまに、すみません。と思ってるんなら、そのまま忘れといてくれるのが優しさやで。聞こえてなかったと信じて明日から生きて行こうと思ってたの

に。三畳一間に詰め込まれた救世主」という文面が返ってきた。難しい所である。神谷さんが、その後にどのような流れを計算していたのか知りたい所だが、確かに臨場感を失くした今の段階になって、真意を聞くのは野暮だろう。

僕には、神谷さんの考えそうなことはわかっても、神谷さんの考えることはわからなかった。自分の才能を越えるものは、そう簡単に想像出来るものではない。神谷さんの発言を聞いた後で、手のうちを知っていると錯覚を起こしているだけに過ぎない。自分の肉が抉《えぐ》られた傷跡を見て、誰の太刀筋か判別出来ることを得意気に誇っても意味はない。僕は誰かに対して、それと同じ傷跡をつけることは不可能なのだ。なんと間抜けなことだろうか。

それに僕と神谷さんでは表現の幅に大きな差があった。神谷さんは面白いことのためなら暴力的な発言も性的な発言も辞さない覚悟を持っていた。一方、僕は自分の発言が誤解を招き誰かを傷つけてしまうことを恐れていた。

神谷さんに、そんな制限はない。周囲を憚らずに下ネタを言ってやったというアウトローとしての行為を面白いと思っているのではない。あくまでも、面白いことを選択する途中に猥褻な現象があっただけなのだから、それを排除する必要を微塵《みじん》も感じていないのだ。そんな神谷さんとは対照的に、僕は主題が他にあり、下ネタがただの一要素に過ぎない局

面でも、それを排除する傾向にあった。つまり、自分が描きたい世界があったとしても露骨な性表現が途中にある場合、そこに辿り着くことを断念してきた。神谷さんは、そんな僕の傾向を見抜き、不真面目だと言った。不良だとも言った。面白いかどうか以外の尺度に捉われるなというのは神谷さんの一貫した考え方であった。面白い下ネタを避ける時、僕は面白い人間でいようとする意識よりも、せこくない人間であろうとする意識の方が勝っているのだ。神谷さんは、その部分を不良だと言った。だからこそ、神谷さんの前でだけは僕も淫猥《いんわい》な表現を用いることに抵抗が少なかった。

また、携帯電話が振動する。神谷さんからだ。恐る恐るメールを開いた。

「正直、お前等がおったから舐められたくなくて、急遽ネタ変えてん。でも、変えたネタで勝たれへんかったら意味ないよな。次、勝つわ。 バックドロップｂｙマザーテレサ」

読みながら、僕は今夜のライブを忘れようと思っていたことに今更ながら気づかされた。あほんだらは四位で、スパークスは六位だった。お客さん投票なので、人気がある芸人や、お客さんを沢山呼んだ芸人が有利だとは思うが、神谷さんはいつも、肉親以外の投票は全て有効だと言っていた。人気のコンビもファン達と元々は他人だったのだ。それをファンにさせたのは本人なのだから、他人がとやかく言うことではない。その日のネタの出来が悪いからと言って、他のコンビに投票して、万が一好きなコンビが淘汰されてしまっては、応援しているコンビがいかに将来性があったとしても永遠に見ることが出来なくなってし

まう。恋愛において、経済力がない男と付き合っている女性も、いつまでも男を養っていこうとは思っていないはずだ。いつか、真っ当に働き稼いでくれると将来性を買っているのだ。つまり、そう思わせるのも実力であるというのが神谷さんの考え方だった。そう言われても、僕はその日の完成度で評価されるべきだと思う。それに、神谷さんは勝ちに執着している人間のような発言をしていながら、本人は勝ち方にも美学があり、それに拘泥《こうでい》しているように見えた。

今日のライブで一位だったのは鹿谷《しかたに》という一年目のピン芸人だった。彼は端正な顔立ちをしているのだが、鼻の下だけが異様に長く、そのアンバランス加減から真顔になるだけで爆発的な笑いを巻き起こした。ネタはフリップに貼られた様々な言葉の最も格好良い使い方をレクチャーするという内容だった。しかし、フリップをめくろうとすると糊をつけ過ぎたのか上手くめくれず、その度に彼は「まじ、ふざけんなよ！　徹夜で作ったんだぞ！」とフリップに怒りをぶつけた。その事故と彼の人間性が相まって大きな笑いが生まれた。彼は自分でも現状が摑めておらず、「お客さん金払って見てくれてんだからさ、まじ、ふざけんなよ！」と半泣きでフリップに激昂し、不貞腐《ふてくさ》れたまま挨拶をして袖に引っ込んだ。

彼は不思議な男だった。初めて会った時から、名乗りもせずに「俺、徳永さん好きっす。よろしくっす」と握手を求めて来たし、別の日には「徳永さん、鹿谷軍団に軍師として入

ってください。天下取りましょう」と平気で言うような男だった。それは僕が本来なら最も苦手なタイプのはずだった。ライブのエンディングで一位が鹿谷と発表された時、彼は一切喜ばず、「まじ、ふざけんなよ！　あんなのネタじゃねえよ！　楽屋で他の芸人に嫌われんだろ！」と客席に罵声を浴びせた。彼の立ち居振る舞いに客席も舞台上の芸人も一斉に笑い崩れた。

ライブのことを振り返ると切りがない。

「あほんだらさん、面白かったです。　彼女と瓜二つの排水溝」とメールを送って眠ることにした。先輩のネタを面白かったなどと評価出来る分際ではないのだけれど本心だった。だが、自分達はどうだったか。あほんだらにはスタイルがある。自分達にはあるだろうか。考え出すと、不安の波が押し寄せてくる。

布団に入った時、再び、神谷さんからメールが来た。

「遅くにすまんな。偉人になる人も、こんなとこで四位になるんかなと思って。十位のお前に聞くことちゃうんやろうけど。　エジソンが発明したのは闇」

それは、もっとも考えてはいけないことだった。舞台で上手くいかなかった時に落ち込むのは生理的なことだから仕方がない。この憂鬱を晴らす方法は次のライブで笑いを取る他にないのだ。こんな夜だけは、僕と神谷さんさえも相容れない。東京には、全員他人の夜がある。

「六位、六位。エジソンを発明したのは暗い地下室」という文面のメールを送信して無理やり眼を閉じた。胸の辺りに鉛のような感覚が朝方までずっとあった。

毎日のように神谷さんと遊んでいる時期もあれば、しばらく会う機会がない時期もあった。そんな時に、以前同じバイト先で働いていた女の子から、髪を染める練習台になって欲しいと頼まれたので、軽い気持ちで引き受けた。もしかすると少し自分を変えてみたかったのかもしれない。長く伸びたままにしていた髪を切り、銀髪に染めた。髪の毛に合わせて衣装も全身黒に変えるようにした。私服も衣装もなかったので、日頃からそんな格好で過ごすことが多くなった。

久しぶりに会った神谷さんは、銀髪の僕を見て、「へー」と頼りない声を出した。

その日は午後十時くらいに神谷さんから「飯食ったか?」という連絡が入った。この時間だと、どう答えていいのかが難しかった。一緒に食事がしたくて連絡をくれたのか、それとも話したいことがあるだけなのか、判断がつきかねた。正直に答えればいいのだろうけど、神谷さんが既に食事を済ませてしまっている可能性もあった。

神谷さんは、どんなにお金がなくても僕に御飯を奢ってくれた。それが芸人の世界の決まりなのかもしれないが、芸人としての稼ぎもあまりなく、たまに日雇いのバイトに入る程度の神谷さんからすると簡単な制度ではないはずだった。豪華な店ではないにしろ、い

つも僕には好きなものを食べるように言ってくれた。それだけに、真樹さんの部屋の台所に山積みにされた大量のカップラーメンの空き容器を見ると言葉に詰まった。お金がないと、消費者金融でお金を借りて呑みに連れて行ってくれた。神谷さんはクレジットカードのことを魔法と呼んだ。もちろん、真樹さんが持たせてくれたお金で呑むことも多々あった。狡猾さから無縁の神谷さんは、必ず「真樹の金や」と懺悔《ざんげ》のように打ち明けるのだった。真樹さんのことを思うと心苦しくもあったが、そんな神谷さんを見るのも辛かった。何のためにここまでして呑む必要があるのだろうと自分でもわからなくなることもあった。たまに、神谷さんから連絡が途絶える時、お金が決して無関係ではなかったと思う。そのせいで神谷さんと会える機会が減っているのではないかと思うと、極力、神谷さんにお金を使わせたくなかった。

「すみません。もう食べたのですが、御一緒していいですか？　聖なる万引き」という文章を作った。携帯電話の小さな液晶画面に浮かぶ文字を見ていると、実際に腹が減っていないような気がしてきたので、そのまま送信ボタンを押した。

「お前、気使ってるんちゃうやろな？　おもち」という文面の返信がすぐに返ってきた。

吉祥寺で待ち合わせて、井の頭公園まで歩いた。焼鳥の「いせや」の脇の階段をくだり、霧がかかった木々の中を歩いて行くと、煌々《こうこう》と輝く自動販売機に自然と足が向いた。神谷

さんが何枚か小銭を入れたあと、財布の小銭入れをぐるぐると指でかき混ぜていた。僕が自分の財布から十円玉を取り出して、自動販売機に入れようとすると、「いらん」と一喝された。神谷さんは困ったような顔のまま、小銭入れを指でかき混ぜている。折角入れた小銭が、時間が経過してしまったために釣銭口から出てきてしまった。それでも、神谷さんは小銭をかき混ぜ続けている。

「そんなんしても、小銭増えませんよ」

「わかっとるわ！　ここで、お前に十円出させたら、割り勘になってまうやろ」

神谷さんは、それが本当に口惜しいかのように言った。

「神谷さん、僕ペットボトルのお茶飲みたいんで、あと三十円です」と僕が言うと、

「性格悪いんか、もうええわ！」

と、神谷さんは諦めたように財布から千円札を取り出して自動販売機に吸い込ませた。

七井橋《なない》の上に立ち、池の先にある大きなマンションの灯りを眺めながらペットボトルのお茶を飲む。

「美味《うま》いか？」と神谷さんが僕を窺うように囁いた。

「はい。タイムマシーンが発明されたら、真っ先にこのお茶を持って千利休に会いに行きます」と僕は答えた。

「どうせ横から秀吉がしゃしゃり出てきて飲みよるやろ」と神谷さんは眼を細めて言った。

「その珈琲はどうですか?」

「美味い。小さい頃から通って世話なった田丸っていう地元のうどん屋で言うた『めっちゃ美味い』って言葉、全部撤回するわ」

公園の西側から大きな鳥のような鳴き声が聞こえた。公園内に動物園があるのだ。

「田丸も想い出の美味いでいいんじゃないですか?」と僕は言った。

「いや、この缶珈琲に比べたら全然美味くないわ。優しいおばちゃん、ごめん」

「哀しいな。ジャンルも違うし、両方美味いでいいでしょう」

強く吹きつける風が前髪を乱暴に流していた。鳥の鳴き声に呼応して、どこかで犬が吠えた。

神谷さんは僕の銀髪と様子の変わった服装について、色々と聞いてきた。僕は銀髪と合う服を選んでいたら自然とこうなったのだと説明した。何を着るかということに必然性を感じ、それを選ぶことが重要なのだと神谷さんは僕の服装に一定の理解を示した。神谷さんはお洒落についてはわからないが、お洒落であることと、個性的であることが同義のように扱われている点について異議を唱えた。一見すると独特に見えても、それがどこかで流行っているのなら、それがいかに少数派で奇抜であったとしても、それは個性とは言えないのだと言った。それを最初に始めた者だけの個性であり、それ以外は模倣に過ぎないのだと言った。しかし、例外もあって、たとえば一年を通してピエロの格好を全《まっと》うすると

いう人がいた場合、これは個性と言っていいとも言った。ピエロは誰かが生み出したものだが、それを普段着として日常的に着てしまうことは、最早《もはや》オリジナルの発想であると断言した。

「でもな、もしそのピエロが夏場に本当は暑いからこんな格好はしたくない。と思っていた場合、これは自分自身の模倣になってしまうと思うねん。自分とはこうあるべきやと思って、その規範に基づいて生きてる奴って、結局は自分のモノマネやってもうてんねやろ？　だから俺はキャラっていうのに抵抗があんねん」

いかにも、神谷さんらしい言葉だと思ったけれど、そこまで個性に対して潔癖を強いるのは苦しいことなのではないか。神谷さんが嬉々としてこれを話しているならば、気にはならなかっただろう。しかし、神谷さんの言葉には使命感を帯びた切実な響きがあった。

「僕はね、コーデュロイパンツが好きなんですが、唯一ベージュのコーデュロイパンツが嫌いなんです」

「なんで？」

「コーデュロイパンツって縦に線が幾つも入ってるじゃないですか」

「おう」

「ベージュは膨張色やから、ぶつかってると思うんです。だから、ベージュのコーデュロイパンツを穿いてる奴は、コーデュロイを穿きたいだけの色々間違えてる奴やと思うんで

す」

「細かいな。一見、俺と同じようなこと言ってる雰囲気で、全然違うこと言うてるやん」

と言って、神谷さんは笑った。僕がそう思うに至ったのには発端があった。中学時代に古典の先生が穿いていたコーデュロイパンツを皆が古くてダサいと馬鹿にしていたことがあって、その時に僕はどうしても自分の感覚としてコーデュロイパンツをダサいと思えなかった。むしろ、少し光沢のある質感を格好良いとさえ思った。僕は古着屋で紺色のコーデュロイパンツを購入し、頻繁に穿くようになった。もちろん、仲間達は、僕のコーデュロイパンツを古臭いと馬鹿にした。しかし、高校生になった時、古着のリバイバルブームが到来し、僕を馬鹿にしていた仲間達も当たり前のようにコーデュロイパンツを穿きだした。その時の違和感が未だに忘れられないのだ。しかも、僕の仲間が嬉しそうに穿いて来たのが、ベージュのコーデュロイパンツだったのだ。それでベージュのコーデュロイパンツに対する嫌悪感が生まれてしまっただけかもしれない。冷静に捉え直そうと試みても、モヒカン頭のパンクス着用のライダースジャケットがコットン素材であることと同じくらい腑に落ちないのである。

「もうベージュのコーデュロイパンツの話ええわ。途中から、ベージュのコーデュロイパンツって言うのが気持ちよくなってたやろ」

そう言って神谷さんは、飲み終わった缶珈琲をゴミ箱に捨てた。

「太鼓の太鼓のお兄さん、真っ赤な帽子のお兄さん」突然、神谷さんが唄い出した。

「龍よ目覚めよ。太鼓の音で」

奇妙な旋律が真夜中の公園に響いていた。

久しぶりに僕達は吉祥寺から上石神井までの道を歩いた。毎日のように通っていたので、随分と懐かしいような感覚があった。日常的に歩く距離ではない。バスを使いましょうと提案しても、神谷さんは一切応じなかった。僕も歩くことは好きだったが、あくまでも目的のない散歩だったので、当たり前のように長い距離を毎日歩く神谷さんは少し異様に見えた。僕達の横を通り抜けて行く自転車に、「お父さん、危ないんでライト点けてくださいねー」と神谷さんが声をかけていた。

自転車は何も言わずに走り去って行った。

「そんなん言わんでよろしいねん」という僕の言葉に耳を貸さず、神谷さんは無灯火の自転車が通る度、同じように声をかけた。

真樹さんのアパートに着いた時には、膝の感覚がほとんどなくなっていた。水色のドアを開けると真樹さんが笑顔で迎えてくれた。

「徳永くん、久しぶりだね。元気だった？」

「はい。お久しぶりです」

「ご飯食べていってね」

真樹さんは台所で鍋の準備を始めた。一時期は毎日のように通った家なのに、久しぶりだからか妙な違和感を覚えた。神谷さんの座る位置がいつもと違うのだ。いつもはテレビに対して食卓を挟み正対するのだが、なぜか今日は右手にテレビが見える場所で、僕と正対する体勢をとっている。

真樹さんが鍋を運んできた。真樹さんは、いつも僕が手伝おうとすることを嫌い、「徳永くんは、食べる係だよ」と言って笑うのだった。神谷さんと真樹さんは時々夫婦のように見える時があった。

ビールで乾杯し、二度目の鍋を真樹さんが作りに行った時、神谷さんが「小便」と言ってトイレに立った。なぜ、「小便」とわざわざ言い残したのだろうと思うのと同時に、今日に限って神谷さんが、いつもと違う場所に座っていたのか理由がわかった。神谷さんがいた場所の後ろには、銀の洋服ラックがあり、そこにベージュのコーデュロイパンツが置いてあったのだ。井の頭公園での会話が蘇り、僕は一瞬で青ざめた。すぐに立ち上がってトイレの前に立ったが、どうすればいいのかわからなかった。トイレの中からは何の音もしない。台所からは鍋が煮立つ音が聞こえていた。

「出来たよ」と言って、両手に厚手のキッチンミトンをはめた真樹さんが鍋を食卓の上に運ぶ。真樹さんは変な所に立っている僕を見て少し笑ったが、何も言わず台所に戻った。こういう時、真樹さんは恐ろしいほど、勘がいいのだ。

「神谷さん」と僕はトイレの中に呼びかけた。

そして、神谷さんもまた恐ろしいほど勘がよかった。

「あんな、大阪時代にな喫茶店でバイトしててな、上は店名の入った黒いエプロンを決まりで着けるんやけど、下はベージュのパンツやったら何でもいいという店やってん」

神谷さんの声が狭いユニットバスの中で反響していた。

「すみません」

「謝ることなんてあらへん。俺はなベージュのパンツが必要なだけやってん。だから、コーデュロイ以外にもベージュのパンツは何本か持ってるんやで」

僕は、なんと言っていいのかわからなかった。

「数が必要やったからな。でも夏場は暑いからコーデュロイはあかんな。だから、あれはほとんど穿いてないいんちゃうかな」

「そうなんですね。でも、ベージュのコーデュロイパンツあらためて見ると、やっぱり格好良いですね」と僕が言うと、中から笑い声が聞こえてきた。

「もうええわ」と神谷さんが言って、水を流す音がした。神谷さんはトイレから出てくると、ベージュのコーデュロイパンツをスーパーの袋に入れて、「持って帰れ」と言って僕に差し出した。僕がリュックにそれを詰めているうちに、神谷さんは鍋をつつき始めた。丁度そのタイミングで、流しっ放しにしていたテレビから派手な音楽が聞こえてきた。最

近人気の若手芸人達のユニットによる番組が始まったのだ。真樹さんは何も言わず、リモコンでチャンネルを変え、「〆は雑炊か乾麺どっちにする?」と明るい声で言った。神谷さんは、豆腐を口に頰張りながら「鬼まんま」と言った。

*

口から漏れる白い息と、「いせや」で買ったシュウマイの湯気とが空中で混ざり合っている。最後の一口を頰張りながら、井の頭公園入口の緩やかな階段を降りて行くと、冬の穏やかな陽射しを跳ね返せず、吸収するだけの木々達が寒々とした表情を浮かべていた。

「季節によって雰囲気だいぶ変わるよな」

神谷さんは、そうつぶやくと食べ終えたシュウマイの包装紙を僕に渡した。

新宿や渋谷と比べて、この公園の緩やかな時間の流れを僕も神谷さんも気に入っていた。暖かい缶珈琲を買って公園のベンチに座り池を眺める。身体に溜まった毒が濾過《ろか》されるような心地良さがある。

ベビーカーを押した若い母親が、僕達の隣のベンチに腰を降ろした。赤児《あかご》が獣のような大きな声で泣いていて、母親の顔には疲れと困惑が見えた。

神谷さんは、おもむろに立ち上がると、ベビーカーに近づき、「可愛いですね」と若い

母親に声をかけた。母親は神谷さんの言葉を報告するように、赤児に優しく頬笑んだ。だが、一向に泣きやむ気配は見えない。すると、神谷さんは赤児の顔を覗き込み、「尼さんの右目に止まる蝿二匹」と急に七五調でつぶやいた。その言葉の意図が僕にはわからなかったので尋ねてみると、「昨日考えた、蝿川柳である」と時代がかった調子で応答した。「いや、笑うわけないやろ」という僕の言葉には一切反応せず、神谷さんは赤児を見つめたまま、「恩人の墓石に止まる蝿二匹」と笑顔で蝿川柳を続けた。どうやら、本気のようである。神谷さんは、恐怖で顔を引き攣らせている母親に、「お子さん、元気でいいですね」と優しく声をかけ、蝿川柳を赤児に披露し続けた。多少の常識的な優しさを持ち合わせていることが、尚一層、蝿川柳の恐ろしさを際立たせた。

「僕は蝿きみはコオロギあれは海」

「蝿共の対極に居るパリジェンヌ」

「母親の御土産メロン蝿だらけ」

神谷さんは、赤児が笑わないことに納得出来ないのか、一つ発表するごとに首を傾げていた。

「赤ちゃんは蝿川柳では笑いませんよ」と僕が言うと、神谷さんは困ったような顔をして、「ほんなら、お前やってみろよ」と突き放すように言った。

蝿川柳が正解ではないことこそわかったが、僕も子供と接した経験などなく、子供と二

人きりならまだしも、他の大人がいるとその視線が気になり、コミュニケーションが上手く取れなくなるのだった。けれど、ここで恥ずかしがることが変であるという常識も頭の中にはある。僕は、思い切って、赤児に向かい「いないいないばあ！」と全力でやってみた。

しかし、泣きやまない。そんな僕を神谷さんが冷めた眼で見つめていた。構わず、僕は「いないいないばあ」を何度か試みた。赤児の母親も、僕の行為と唐突な高揚に若干引いていることが見てわかった。

母親が抱っこをすることによって、ようやく赤児は落ち着いたが、神谷さんの顔色は優れなかった。

「蝿川柳ってなんですの？　あれで赤ちゃん笑わないでしょ」

僕は会話を始めなければというくらいの気持ちで、神谷さんに言葉を投げかけた。

神谷さんは、「でも、お前がやってたあれ、凄く面白くなかったなあ」と妙なことを言った。

「いや、あれは赤ちゃんに対する定番で、面白いとか、面白くないとかじゃないですよ」

「いや、あれは面白くないわ」

神谷さんは、「いないいないばあ」を理解していないのかもしれない。どんなに押しつけがましい発明家や芸術家も、自分の作品の受け手が赤ん坊であった時、それでも作品を

一切変えない人間はどれくらいいるのだろう。過去の天才達も、神谷さんと同じように、「いないいないばあ」ではなく、自分の全力の作品で子供を楽しませようとしただろうか。僕は自分の考えたことをいかに人に伝えるかを試行錯誤していた。しかし、神谷さんは誰が相手であってもやり方を変えないのかもしれない。それは、あまりにも相手を信用し過ぎているのではないか。だが、一切ぶれずに自分のスタイルを全《まっと》うする神谷さんを見ていると、随分と自分が軽い人間のように思えてくることがあった。

*

僕達の事務所に、大手の事務所から数組の後輩が移籍して来た。彼等は優秀だった。自発的にユニットを結成し、小規模ながらすぐにライブを成功させた。僕達はまだ、ライブを企画したことすらなかった。他の事務所との合同か劇場側が主催のライブに呼んで貰うばかりで、自らライブを決行する知識も情報も持っていなかった。彼等の台頭は僕にとって大きな事件だった。彼等は僅かな期間で事務所の社員とも打ちとけた。社員の前で敢えて軽口を叩き、叱られて謝る。その一連のやり取りの間、ずっと社員は笑っている。社員は後輩達を叱りながら、徐々に親が子を見る顔へと近づいていった。それは僕が見たことのない種類の顔だった。この数年間、事務所に所属になってから、嫌われないように一定

の距離を保ち続けてきた僕と違い、彼等は即座に社員が自分達の指導者であることを認めた。それは社員に対して親としての自覚を持たせることでもあった。彼等のおかげで事務所のお笑い班は活気づいた。事務所ライブが定期的に開催されることになったことは僕にとっても有り難いことだったが、僕達は初めて誰かと比較されることになった。

今までの失態は知名度や事務所の責任にすることが出来た。しかし、これは知名度に大差のない同じ事務所同士の戦いなのだ。ライブでは順番にネタを披露し、最終的に観客の投票によって順位が決まる。僕達の漫才はいつも通りの出来だった。観客の数と比較すると充分だと思っていたが、僕達の前に出た後輩達は楽屋まで届くほどの笑いを生みだしていた。集計中のトークでも彼等は自分達の関係性を大いに生かし笑いを作っていた。こんな風に観客と一体化したライブは経験したことがなかった。舞台上で躍動する彼等を間近で目撃しながらも、どこか現実感が乏しく観客の笑声も遠くから聞こえるようで、僕の鼓膜には自分の呼吸の音ばかりが実在的に響いていて、それが微かに乱れる度に酷く気になり、周りの景色は霞んでいった。僕達は出演者の中で最も長い芸歴を持ちながら、八組中六位という成績だった。

ライブの打ち上げは渋谷の鉄板焼き屋で行われた。今まで事務所ライブで積極的に打ち上げが行われたことなどなかったかもしれない。週末ということもあり、店内は若者や酔

客でごった返していた。静かなのよりはましだった。隅に座った僕の前には女性の社員が座った。

「徳永君、大阪選抜だったんでしょ？　なんでサッカー辞めちゃったの？」

この人は、いつも僕達に笑顔で接してくれるけれど、僕達のことを微塵も面白いなんて思っていないのだろう。この人にとって、僕などはここに存在していなくても別に構わないのだ。どこかでサッカー選手にでもなっていたら、こいつは幸せだっただろうと軽薄に想像する程度の人間でしかないのだ。そして、それはこの人に限ったことではない。

十代の頃、漫才師になれない自分の将来を案じた底なしの恐怖は一体何だったのだろう。上座で構成作家や舞台監督と呑んでいた相方の山下が便所に行った帰り、僕の側に来て、「舞監《ぶかん》さんが、隅で呑んでんと作家さんとかに挨拶した方がいいよ、やって」と囁き自分の席に戻って行った。この舞台監督は何かと僕達のことを気にかけてくれる優しい人物だった。僕はビールの入ったグラスを持ち、重たい腰を持ち上げて上座に歩いて行く。こんな夜でさえもそうなのか。上座の作家や舞監や山下を相手に後輩達は健気に立ち回り、場は盛り上がっている。自分の存在が水を差さないかと怖かった。笑顔を貼りつけたまま上座に辿り着いた僕には誰も気づかない。

僕は全ての輪から放り出され、座席でも通路でもない、名称のついていない場所で一人立ち尽くしていた。僕は何なのだろう。

こんな時、神谷さんの唱える、「気づいているか、いないかだけで、人間はみんな漫才師である」という理論は狂っていると理解しながらも妙に僕を落ち着かせてくれるのだった。今、明確に打ちのめされながら神谷さんとの日々が頭を過《よ》ぎる。僕は神谷さんの下で成長している実感が確かにあった。だが、世間に触れてみると、それはこんなにも脆弱《ぜいじゃく》なものなのだろうか。言葉が出てこない。表情が変えられない。神谷さんに会いたくなるのは、概ね自分を見失いかけた夜だった。

＊

何日か連続で神谷さんを誘ってみたが、このところ忙しいようだった。思い切って、夜中に電話をかけてみたが応答がなかった。その次の日、神谷さんから昼間に連絡が入り、吉祥寺に呼び出された。色々と相談したいことがあったので、嬉々として僕は出向いて行った。だが、その日は、何一つ自分の話をすることが出来なかった。午後二時頃、待ち合わせ場所に現れた神谷さんは薄っすらと笑みを浮かべていたが、何かいつもと様子が違う。

神谷さんの一言目は、「ちゃうねん」だった。

「どうしたんですか？」

「あのな、真樹の家に俺の荷物取りに行きたいからついて来て欲しいねん」と神谷さんは

伏し目がちに言った。

「全然大丈夫ですけど、喧嘩したんですか？」神谷さんが酔って真樹さんに絡むとこは何度か見たことがあったが、真樹さんが神谷さんに怒っているとこは見たことがなかった。

「真樹な、男出来てん」

「嘘でしょ？」

まさかの言葉だった。真樹さんは、傍《はた》から見ている限り、神谷さんのことを心底愛しているように見えた。神谷さんも、色々と御託を並べたところで真樹さんに強く依存しているように見えた。いずれ二人は結婚するものだと僕は勝手に思っていた。

「びびってもうたわ。真樹な、吉祥寺のキャバクラで働いてるって言うてたやろ？」

「はい」

なんだろうか、嫌な予感がする。

「あれな、実は風俗やってんて。上京してすぐに吉祥寺歩いてたら、キャバクラのスカウトに声かけられて、ほんで、後日面接行ったらな、幽霊の格好してサービスする風俗やったらしいわ。あいつ、そういうの断られへんやろ？　それで働いてたんやて」

「そうなんですね」

この話を僕はどう捉えればいいのか。

「幽霊の格好してサービスするとか、そんな説明いる？　想像してまうからディテールま

で聞きたくなかったわ」

こういう時、想像力というのは自分に対する圧倒的な暴力となる。

「ほんまに勝手な話やねんけど、なんか心臓が痛いねん。好きやったんかもな。めっちゃ好きやったかも。多分な」

精彩を欠いている神谷さんを見るのは辛かった。曖昧な言い方を選んでいるのは、僕の前で感傷に流されたくないからだろう。

「徳永、なんでお前が泣いてんねん？」

そう言って、神谷さんは笑った。僕は未《ま》だ泣いているつもりはなかった。僕は真樹さんといる時の神谷さんが好きだった。

「泣くにしても早くない？　夜、酒でも呑みながら一番泣き浴びようと思ってたのに」

「風呂みたいに言わんといて下さい」

つらい。

「お前、かけ泣きもせんと、いきなり泣き舟に浸かるって常識ないんか」

「だから、風呂みたいに言わんといて下さいよ」

つらいと感じることは、こんなにもつらいことだったのだ。

「せめて、チンコとケツくらい泣いてから、泣き舟に入れや」

「文法おかしなってますやん。チンコとケツくらい泣くって、なんですの」

つらいという言葉や概念を理解しても、つらいことの強度は減らない。

「しゃあないから、泣きタブに泣きの実入れて入ろ、今日は泣色にしよかな」

「もう、なんのこと言うてるんかわかりませんわ」

こんな時でも、僕達は笑わなくてはいけないのだろうか。

「俺よりも先に泣くとか、ひくわあ。泣くタイミングなくなったやんけ」

神谷さんは強がっているものの、どこか頼りない口調だった。どこにも辿り着きたくないような速度で吉祥寺通りを北へ歩く僕達の横を小学生の団体が笑顔で通り過ぎていった。大人が涙するのが珍しいのか、子供達が僕の顔を不思議そうに眺めていた。

「おい、お前が泣いてるせいで、俺がいじめてると思って、学年主任のおっさんにめっちゃ睨まれたやんけ」

神谷さんは、無理に笑おうとしているように見えた。普段はこんなにも状況説明的な言葉は使わない。

「ほんでな、その男っちゅのがな、風俗の客やねんて。そいつが何度も店に通ってきて、何度も告白されて、徐々に真樹も好きになったらしい」

神谷さんは、こんなことは何でもないことだと思いたいのか、とぼけるような表情をした。真樹さんは美人で優しいので、付き合いたいと思う人は沢山いるだろう。

「なんて言うたらいいのかわからないですけど、真樹さん神谷さんのこと、ほんまに好き

やったけど、どこかで曖昧な関係を終わらせなと思ってたんでしょうね」

「まぁ俺も、真樹に好きな人が出来たんなら文句ないけどな。年齢的なこともあるし、俺がなんとかしたかったけど、間に合わんかったな。ここで、ごちゃごちゃ言うのも狡いしな。他の選択肢はなかったんやろなとも思う」

神谷さんは両手をポケットに突っ込んで、足の裏を地面に擦《こす》りつけるようにゆっくりと進んだ。僕達は、ほとんど全ての信号に引っかかっていた。

「荷物全部出すんですか？」

「いや、まだ家決まってないからそれは無理やねんけど、明日、劇場の出番あるから漫才衣装と着替えだけ取りたいねん。一つ問題があってな、実はその男がもう家におんねん」

「そうなんですか？」

「俺のことは居候《いそうろう》って説明してるらしいねんけど、そんな部屋に気まずくて一人で行かれへんやろ？」

「そうですね」

相手の男は全て知っているのではないか。長期にわたって金を搾取する最低な男から真樹さんを救おうと思っているのだろう。そういう意図がないなら同居人がいる部屋に上がり込んだりはしない。ずるずると真樹さんが神谷さんを許して元の生活に戻ることを阻止しようとしているのだろう。そこには、真樹さん自身の意志も幾らか含まれているのかも

しれない。

「荷物一人で取りに行ってな、万が一そいつに文句言われたら殺してしまいそうやから、ついて来て貰いたいねん」

「二人の方が殺しやすいですもんね？」

「とめろ！　とめろ！　とめんかい！」

発言の重要度と、声の大きさが全く合っていなかった。「たいして面白くない言葉に対するリアクションは、それに見合った小声で対応しろ」というのが神谷さんの教えだった。上石神井まで歩く間、神谷さんは、僕と同じ名前の表札を指差し、「徳永やって、ここお前の家ちゃうんか？」と言ったり、サイレンの音を聴いて、「救急車と思ったらパトカーかい！」と叫んだり、普段からは考えられないほど、面白くなかった。

「徳永、すまん」

「なんですか？」

「部屋行くの怖い」

「僕、一人で行きましょうか？　文句言われたら殺しますけど」

僕の英雄を傷つける奴はたとえ正義でも憎悪の対象だった。ただ、真樹さんを傷つけることは最も避けたいことでもあった。

「いや、俺も行く。ほんで男に何言われても真樹のためやと思って黙っとく。でも、哀し

いのも惨めなのも嫌やねん。だから、すまんけど真樹の部屋入ったら、ずっと勃起しといて欲しいねん。感情的にやばくなったら、お前の股間見るわ」

「勃起ですか？」

この人は何を言っているのだろう。

「先輩の大変な時に、こいつ勃起してるやん。と思えたら笑えるし、平常心保てるから」

神谷さんは、いつになく真剣な表情だった。

「それ、僕のリスク高くないですか？　その男に気づかれたら、問答無用で殴られませんかね」

「殴られる理由としては珍しいから、顔面に傷でも残ったら、後々クイズで出題出来るで」

「しませんよ。このタイミングで言うのもあれですけど、僕あんまり下ネタ好きちゃいますからね」

「よう俺と遊んでくれてたな。頼むわ。挑戦だけでもしてみて」

「わかりました」

弟子として、一世一代の援護をしようと思った。僕は携帯電話でインターネットから、女性の裸の画像を検索し、いくつか目ぼしいものを保存した。

緊張しながら、真樹さんの部屋のドアをノックした。耳を澄ませ、汚れた水色のドアを

見ていると、いつもと同じ真樹さんの家なのに、うまく息を吐くこともままならなかった。部屋の中から真樹さんの声がしてドアが開いた。

「ああ、徳永君。ありがとうね」

　真樹さんは、いつもと変わらない笑顔で僕達を迎えてくれた。部屋に入ると、自分が着ている上着から冬っぽい匂いがした。部屋の奥の、いつも神谷さんが座っていた場所に、作業服を着た男が座っていた。男は顔に髭を生やし、肉体労働者らしい体躯をしていた。胡坐《あぐら》をかき再放送のドラマを眺めて泰然とはしているが、静かに殺気立っていた。男は僕達が来ることを真樹さんから聞いていただろう。あるいは複数で来るとは思っていなかったか。

「お邪魔します」と僕が言うと、男は無言でこちらを一瞥した。その据わった目には僕達と刺し違える覚悟が見えた。この男は信用出来ると思った。神谷さんは、しきりに真樹さんに謝りながら、大きな鞄に荷物を放り込んでいた。僕はスーツケースだけ手に持ち、男と神谷さんの線上に立っていた。神谷さんを男から隠しているのか、その反対か自分でも判然としなかった。真樹さんが、お茶を出そうとしたが、神谷さんが辞退した。

「大体必要な物は詰めれたし、すまんけど後は捨てといて」と神谷さんが真樹さんに言った。思わず叫びだしたくなった。僕は神谷さんの優しい声に弱い。

「うん。整理して送れる物は送るね」

真樹さんは少し髪が伸びたように感じたが、下ろしているだけかもしれない。神谷さんの方を恐る恐る見た。神谷さんが、僕の股間を見ていた。この人は本当にあほんだらである。僕は携帯電話をポケットから取り出し、あらかじめ保存していた粗い裸の画像を選択し、精一杯興奮しようと試みた。だが、それは僕にとっては単なる匿名の裸に過ぎなかった。人間達が交錯し各々の人生を燃焼する、この風景には到底及ばない。神谷さんは、まだ僕の股間を見ていた。あの男の覚悟を、真樹さんの想いを、神谷さんなりの下手糞な優しさを、この美しい世界を僕は台なしにしなければならない。どのような情熱からか微《かす》かに僕の股間は反応した。それを見た神谷さんが、思わず吹き出した。

「ほな行くわ」

神谷さんは、そう言って立ったまま白のオールスターを履いた。「お邪魔しました」と言って僕が先にドアから出た。

「色々すまんな。ありがとう」と神谷さんが言うと、真樹さんは無言で寄り目にして、舌を出した。

神谷さんは、「なにしとんねん」と笑いながら言って、ドアから手を離した。そのドアを笑顔の真樹さんが受け取って、「身体に気をつけてね」と言うと、静かにドアを閉めながら最後に、また変な顔をした。神谷さんが「もうええわ」と言い終わるのと同時にドアは静かに閉まった。冬の風に吹かれながら、僕は世界の外に放り出されたような気分にな

った。歩きだすと同時に神谷さんは腹を抱えて笑った。

「お前、なに勃起しながら泣いとんねん。性欲強い赤ちゃんか」

「自分が命令したんでしょ」

もう二度と、このアパートに来ることはないだろう。上石神井に来ることもないかもしれない。この風景を大切にしようと思った。

「お前、真樹の部屋でちょっとだけ自分のチンコ触ったやろ？　あれせこいぞ！」

「しょうがないでしょう。尊敬してる兄さんと、優しくしてくれたお姉さんのお別れですよ。そんな状況で画素の粗い画像だけでは無理ですって」

僕は神谷さんの役に立てただろうか。


それから、真樹さんとは何年も会うことはなかった。その後、一度だけ井の頭公園で真樹さんが少年と手を繋ぎ歩いているのを見た。僕は思わず隠れてしまった。真樹さんは少しふっくらしていたが、当時の面影を充分に残していて本当に美しかった。圧倒的な笑顔を、皆を幸せにする笑顔を浮かべていて、本当に美しかった。七井橋を男の子の歩幅に合わせて、ゆっくりと、ゆっくりと歩いていた。その子供が、あの作業服の男の子供かどうかはわからない。ただ、真樹さんが笑っている姿を一目見ることが出来て、僕はとても幸福な気持ちになった。誰が何と言おうと、僕は真樹さんの人生を肯定する。僕のような男

に、何かを決定する権限などないのだけど、これだけは、認めて欲しい。真樹さんの人生は美しい。あの頃、満身創痍で泥だらけだった僕達に対して、やっぱり満身創痍で、全力で微笑んでくれた。そんな真樹さんから美しさを剝がせる者は絶対にいない。真樹さんに手を引かれる、あの少年は世界で最も幸せになる。真樹さんの笑顔を一番近くで見続けられるのだから。いいな。本当に羨ましい。七井池に初夏の太陽が反射して、無数の光の粒子が飛び交っていた。神谷さんは、「なんで、池に飛び込んで真樹を笑かさんかったんや」と言うかもしれない。だが、あの風景を台なしにする方法を僕は知らない。誰が何と言おうと、真樹さんの人生は美しい。あの少年は世界で一番幸せになる。その光景を見たのは、神谷さんと僕が、最後に上石神井のアパートへ行ってから、十年以上後になる。

*

神谷さんは、真樹さんのアパートを出た後、知り合いの家を転々とし、最終的に池尻大橋と三軒茶屋の間にある三宿《みしゆく》のアパートに住み始めた。都心から離れた場所なども含めて、僕も一緒に色々と探し回ったのだが中々いい物件は見つからなかった。半年近く経って諦めかけた時、ようやく渋谷に程近い場所で安い部屋を見つけたのである。この時期の僕達はどうかしていた。真樹さんを喪失した傷を僕も深く負っていた。二人で卓球のユニホー

ムを買い揃え、渋谷の卓球場で夜通し打ち合った。呑み屋に行き、会話もしていない男性の会計を勝手に済ませ、微妙な表情で出て行く人を観察したりした。カラオケに行き、長渕剛と吉田拓郎を交互で熱唱したりもした。弁当を作って立川の昭和記念公園にピクニックにも行った。その頃、神谷さんが嵌《は》まっていたのが、パンツを脱ぎ、「若手の、若手の、若手の登竜門！」と言いながら、でんぐり返しで、僕に肛門を見せつけることだった。神谷さんの借金はどんどん膨らんでいった。僕は高円寺のコンビニで深夜バイトを続けていたので、そんな神谷さんを見て、我ながら小粒だなと自分が嫌になることもあった。東京での生活に必要な最低限の収入を得るために働くことは当然だったが、それに僅かな芸人としての収入を足しても同世代の平均的な年収には遠く及ばなかった。働いても惨めな気分が解消されないのであれば、いっそのこと神谷さんのように四六時中芸人であることの方が尊いと思うこともあった。だが、それには相当な勇気と覚悟が必要だった。

池尻大橋の丸正で安い惣菜をいくつか買い、そこから、二時間近くかけて神谷さんと二子玉川の河川敷まで歩いた。僕が缶珈琲を右手にずっと持っているのを見て、「えらいもんで、毎日のように缶珈琲持ってたら、右手が缶珈琲ホルダーの形に進化するんやな」と神谷さんが言った。「便利と言えば便利ですけど、缶珈琲サイズのペンしか持たれへんから、字は書きにくいですけどね」と僕は答えた。惣菜は僕のリュックに詰めていた。唐

揚げの匂いがリュックにつかないか心配なので近くで食べましょうという僕の提案を、「本来、食欲をそそるほどの唐揚げのいい匂いが、リュックからした途端に臭いと思うのは人間の錯覚や」と言って神谷さんは退けた。納得出来ない表情の僕に向かって、神谷さんは「大丈文庫、大丈文庫」としつこく言い続けた。「大丈文庫」という謎の言葉は、相手に反論しても無駄であるという徒労感を与えるには打ってつけの言葉だった。これもまた、神谷さんの発明なのかもしれない。

神谷さんと一緒にいると、日常で使うことのない、どこかの限られた神経は激しく疲弊したが、世の中の煩《わずら》わしさを束の間忘れさせてくれることも多かった。神谷さんの前では、僕は普段より格段にお喋りになった。聞きたいことが沢山あった。この人が全ての答えを持っていると思い込んでいる節が僕にはあったのだろう。

駒沢大学駅を越えた辺りだったと思う。

「神谷さんって、人の意見とか気にならないんですか？」という質問をした。

似たようなことを何度か聞いたこともあったように思ったが、自分の劇場出番が増えるに従って、僕の耳には以前よりも周りから自分の評価が聞こえてくるようになっていた。

「文句言われたら腹立つけど、あんまり気にならんな」

「そうなんですね。じゃあ、ネットとかで自分の悪口書かれてても気にしないですか？」

最近、自分の身にそういうことが起こったのだ。他の芸人達は、「こういう仕事をして

いるのだから仕方がない」と言う。

「ああ、そういうやつな。俺、そういうの無頓着のように見えるやろ？」

「はい」

「結構、暇な時に見たりすんねん。あれ、嘘も多いよな」と神谷さんは顔を顰《しか》めて言った。

「そうですよね」

僕は自分で質問しておきながら、この話をするのが怖くなった。神谷さんに、この馬鹿げたことを完全に否定して貰いたかったのだ。だが、神谷さんの語調からは少し余裕が感じられたので、今の僕がその話を受け入れることが出来るか不安になった。

「人の悪口ばっかりの書き込みに対して、反論するのは、そいつ等と同じレヴェルになるから、やらん方がいいって言う奴おるやん。あれ、どうなん？」

多分、僕はそういう奴だった。

「レヴェルってなに？　土台、俺達は同じ人間やろ？　間違ってる人間がおったら、それ面白くないでって教えたらな。人が嫌がることは、やったらあかんって保育所で習ったやん。俺な自慢じゃないけど、保育所で習ったことだけは、しっかり出来てると思うねん。全部じゃないかもしれへんけどな。ありがとう。ごめんなさい。いただきます。ごちそうさまでした。言えるもん。俺な、小学校で習ったこと、ほとんど出来てないけど、そういう俺を馬鹿にするのは大概が保育所で習ったことも出来てないダサい奴等やねん」

そうかもしれない。

「ネットでな、他人のこと人間の屑みたいに書く奴いっぱいおるやん。作品とか発言に対する正当な批評やったら、しゃあないやん。それでも食らったらしんどいけどな。その矛先が自分に向けられたら痛いよな。まだ殴られた方がましやん。でも、おかしなことに、その痛みには耐えなあかんねんて。ちゃんと痛いのにな。自殺する人もいてるのにな」

「はい、僕も狂ってると思います」

「だけどな、それがそいつの、その夜、生き延びるための唯一の方法なんやったら、やったらいいと思うねん。俺の人格も人間性も否定して侵害したらいいと思うねん。きついけど、耐えるわ。俺が一番傷つくことを考え抜いて書き込んだらええねん。めっちゃ腹立つけどな。でも、ちゃんと腹立ったらなあかんと思うねん。受け流すんじゃなくて、気持ちわかるとか子供騙しの嘘吐いて、せこい共感促して、仲間の仮面被って許されようとするんじゃなくて、誹謗中傷は誹謗中傷として正面から受けたらなあかんと思うねん。めっちゃ疲れるけどな。反論慣れしてる奴も多いし、疲れるけどな。人を傷つける行為ってな、一瞬は溜飲が下がるねん。でも、一瞬だけやねん。そこに安住している間は、自分の状況はいいように変化することはないやん。他を落とすことによって、今の自分で安心するという、やり方やからな。その間、ずっと自分が成長する機会を失い続けてると思うねん。可哀想やと思わへん？　あいつ等、被害者やで。俺な、あれ、ゆっくりな自殺に見えるね

ん。薬物中毒と一緒やな。薬物は絶対にやったらあかんけど、中毒になった奴がいたら、誰かが手伝ってやめさせたらな。だから、ちゃんと言うたらなあかんねん。一番簡単で楽な方法選んでもうてるでって。でも、時間の無駄やでって。ちょっと寄り道することはあっても、すぐに抜け出さないと、その先はないって。面白くないからやめろって」

そんな人達と向き合っても自分には何の得もない。

「お前は、あんな意見気になるか？」

「僕はアンケートに書かれてる意見とか割と気にします」

「劇場に来てるお客さんの意見はな。ネットとかは？」

「なります」

面白いことをやりたくて、この世界に入ったのだから、面白くないと言われることは自分の存在意義に関わることだった。

「周りの評価気にしてても疲れるだけやん。極論、そこに書かれてることで、お前の作るもんって変わるの？」

「一切、変わりません」

「せやんな。俺等、そんな器用ちゃうもんな。好きなことやって、面白かったら飯食えて、面白くなかったら淘汰される。それだけのことやろ？」

それだけの筈だった。神谷さんは今でもそれだけなのだろう。僕はどうなんだろう。自

分でもわからなくなる時があった。

二子玉川の河川敷に到着した頃には、西の空の茜色が、僕達の頭上の雲までも同じ色に染め上げていた。神谷さんと並んで座り、冷えて固くなった唐揚げと、ポテトサラダを食べた。リュックのチャックを少しだけ開けて、神谷さんの鼻先に持って行くと、神谷さんはリュックの中身を鼻で覗くようにして、「おおおうぇ」と勢いよくえずいた。


神谷さんは、露悪的な部分も多少あったが、一部の人間に対しては非常に人懐こい一面があった。特に一度親しくなった者に対しては異常な程の愛情を見せた。それでも、僕は神谷さんに対する恐怖感が絶えずあった。いくら神谷さんが僕に優しく接してくれても、神谷さんの考え方や面白いことに対する姿勢に取り残されることが多々あった。

その日は、世田谷公園を一緒に歩いていた。辺り一面の木々はいかにも秋らしく色づいていたのに、なぜか一本の楓《かえで》だけが葉を緑色にしたままだった。

「師匠、この楓だけ葉が緑ですよ」と僕が言うと、「新人のおっちゃんが塗り忘れたんやろな」と神谷さんが即答した。

「神様にそういう部署あるんですか？」と僕が言うと、

「違う。作業着のおっちゃん。片方の靴下に穴開いたままの、前歯が欠けてるおっちゃんや」と神谷さんが言った。

その語調には僅かな怒気が含まれているように感じられた。

「徳永、俺が言うたことが現実的じゃなかったら、いつも、お前は自分の想像力で補って成立させようとするやろ。それは、お前の才能でもあるんやけど、それやとファンタジーになってもうて、綺麗になり過ぎてまうねん。俺が変なこと言うても、お前は、それを変なことやと思うな。全て現実やねん。楓に色を塗るのは、片方の靴下に穴が開いたままの、前歯が一本欠けたおっちゃんや。娘が吹奏楽の強い私立に行きたい言うから、汗水垂らして働いてるけど、娘からは臭いと毛嫌いされてるおっちゃんやねん」

「そうですね」

そう、答えるしかなかった。

「新人の神様が塗り忘れた楓と、汚ないおっちゃんが塗り忘れた楓、どっちがより塗り忘れてる？　どっちがよりここにある？」

「確かに、おっちゃんです」

「せやろがい！」

「なんで、急にキレるんですか」

最後に怒ったふりをして、最初から怒ってなかったかのように見せていたが、自分の想像を途中で捻じ曲げられたことに対して神谷さんは本気で怒っていたのだと思う。

こういう時に僕は打ちのめされた。発想の善し悪しが、日常から遠くへ飛ばした飛距離

でもなく、受け手側が理解出来る場所に落とす技術でもなく、理屈抜きで純粋に面白い方を択《えら》べとする感覚的なものによるならば、僕は神谷さんに、永遠に追いつけない。

楓の根の辺りから青っぽい匂いがしていた。静かに揺らぐ木々が街燈に照らされ、地面に影を作っていた。僕は公園の風景を眺めながら引き攣りそうな顔面を両手で撫でていた。


ある日、知らない番号から電話がかかってきた。いつものように僕は電話に出なかった。すると、留守番電話に「大林です。これ聞いたら電話下さい」というメッセージが残されていた。神谷さんの相方だった。若手芸人の世界では、相方が仲のいい後輩はあまり誘わないという不文律があった。もちろん、絶対的な決まりではない。そうしておいた方が上手くいくことが多いというだけのことだ。

大林さんとは高円寺の駅前で待ち合わせて、近くの焼鳥屋に入った。油と煙で汚れた小さなテレビではバラエティー番組が流れていた。

「最近、調子いいやん？」

大林さんは出されたビールを一気に呑むと、すぐに二杯目を注文した。その癖は神谷さんから、「あいつ、自分のことポパイかなんかやと思ってんねん」という風に聞いたことがあった。僕はポパイが、酒を呑むのかどうかまでは知らなかった。

「生活全然変わりませんよ。そんなことより、大林さん、今日は下駄履いてないんです

ね？」

「いや、履いてたことないわ！」

大林さんは、いつも大きなワークブーツを履いていた。

「犬は電柱にくってるんですか？」

「誰と間違えてんねん！」

大林さんは神谷さんと違い地声が大きい。

「というか、こんなに人眼につくとこで大丈夫ですか？」

「いや、誰が俺のこと知ってんねん！」

僕は大林さんに会うと必ず、西郷隆盛と話しているという設定で会話をすることにしていた。もう五年以上になるが、いまだに大林さんは西郷隆盛に辿り着いていなかった。つまり、大林さんと僕は、それくらいの距離感であり特別懇意にしているわけではなかったが、この人の勘が鈍いところも含めて大好きだった。

「知ってる？　神谷、もう首まわらんくらい借金でかなってんねん」

大林さんは、言い難そうな表情とは不釣り合いの大きな声でそう言った。

「そうなんですね」

神谷さんの遊び方を見ていたら、ある程度予想は出来た。消費者金融に寄ってから御飯に行くことも多々あったし、呑み屋で知らない人の会計を払うことさえあったのだから。

神谷さんは真樹さんと別れてから箍《たが》が外れたように駄目になった。自分に苦痛を与えていなければ落ち着かないような被虐嗜好すら感じられた。

「あいつな、お前の前やと格好つけ過ぎるとこあんねん。それも、あいつの面白い部分やと思うんやけどな、このままやったら漫才出来ひんようなってまうんちゃうかなと思うねん」

大林さんも、後輩にこんな話はしたくなかっただろう。独断的ではあるが、僕には、いつも真剣に話してくれた。

「すみません。いつも僕が御馳走なってて。今後、僕と一緒の時はお金使わせへんようにします」

大林さんは、口を固く結んでいた。

「いや、お前は全然悪くないねん。神谷、お前の話する時、ごっつ嬉しそうやもん」

そうつぶやく大林さんを見て、しみじみと神谷さんの相方はこの人でなければならないと思った。「せやけど、売れたいのお」という大林さんの珍しく小さな声は聞こえなかったふりをした。

「あっ、鹿谷出てるやん」と大林さんがテレビを見て言った。

「最近、鹿谷よう見ますね」と僕も振り返ってテレビを見上げた。

鹿谷はネタ番組に出ると、大物MCに最高の玩具であることを瞬時に発見され、そこで

開花した才能を存分に発揮し、瞬く間に時代の寵児となった。彼は感情を爆発させることによって、その場の全員に馬鹿にされる才能があった。何をしても最下位になった。そんな彼を多くの人が必要とした。彼はバラエティー番組の中で誰よりも笑い、誰よりも泣き、椅子に座っていられないくらい派手に動いた。寿司に大量のワサビが入っているというドッキリを仕掛けられた時は、「食べ物をこんな風にしてはいけない」と真剣に訴え、番組が仕込んだ女性と恋に落ちるというドッキリを仕掛けられた時は、「愛を舐めんな」という言葉を恥ずかしげもなく言い放った。彼は誰からも愛されたし、あらゆることを許された。同じことをしたのでは誰も勝てなかった。鹿谷には一時も目を離せない強烈な愛嬌があった。

微笑みながらテレビを見ていた大林さんが、「俺達がやってきた百本近い漫才を鹿谷は生れた瞬間に越えてたんかもな」とつぶやいた。

その残酷な言葉に僕は思わず叫びそうになった。表情を変えずに奥歯を噛んだ。奥歯を砕いてしまいたかった。ビールはこんな味だっただろうか。

*

神谷さんが三十二歳の誕生日を迎えた直後に、お祝いのメールを送った。すぐに返って

きたメールを開くと、「初めて会った時は四歳差やったけど、今でも四歳差であることに驚いていています」とあった。続けて、携帯が震えた。

「最近、忙しそうやけど、俺の伝記書いてるか？」という文面だった。

「もちろん書いてます」

「神谷　伝記」と書いたノートは十冊以上の束になっていた。最初は神谷さんにまつわることだけしか綴っていなかったノートに、最近では漫才のネタや雑感までもが書き込まれ、もはや自分の日記のようにさえなっていた。

再び、神谷さんからメールが届いた。誕生日を一人で寂しく過ごしていたのかもしれない。

「それ、おもんないやろ？」

「面白くして下さいよ」

「できるんかな？」

「次の都知事選に立候補してくださいよ」

「それ、誰も笑わんやろ」

神谷さんは、いつになく弱気だった。一人でよくない酒を呑んでいたのかもしれない。そんなことなら、もっと早く誘えばよかった。誕生日は事務所の後輩達とお祝いをしていると思い遠慮したのだ。事務所の後輩の中で僕が畏縮して何も出来ずにいたら、神谷さん

に気を使わせてしまうかもしれないと思った。

　ここ最近、僕達は若者に人気の深夜番組で漫才を披露する機会を得て、スパークスは注目の若手として、雑誌などで取り上げられるようになっていた。街を歩くと人から声をかけられることも増えた。僕は二十八歳になっていた。それでも、世間的に見れば無名に等しい。熱心なお笑い好きが辛うじて知っている程度で、美容室で職業を聞かれ芸人であることを伝えると、「へー、芸人目指してるんだ。私の知り合いも芸人の養成所に通ってるんだよ」などと年下の女の子に言われ、どうしていいかわからず奇妙な笑みを顔面に貼りつけて、鏡の自分を眺める様は昔と微塵も変わらなかった。

　知らぬ間に後輩は増え続けた。最初は移籍して来た後輩達だけの閉鎖された空気に入っていけず困惑していたが、事務所のライブを重ねる度に徐々に彼等とも打ち解けていった。周囲と会話をしていると、神谷さんという人間がいかに特殊であるかに気づかされることが多かった。神谷さんは理想が高く、己に課しているものも大きかった。神谷さんと濃密な時間を過ごすことによって、僕は芸人の世界を知ろうとした。だが、神谷さん自身も僕をキャンバスにして自分の理論を塗り続けていったのかもしれない。神谷さんの才能と魅力を疑うことはない。ただ、あまりにも強力な思念に息苦しさを感じることもあった。僕は神谷さん以外の誰かと話すまで、自分が窒息しそうになっていることさえも気づかなかった。大林さんは、神谷さんが僕の前だと格好をつけると言っていた。先天的に神谷さん

が持っていた要素も勿論あったのだろうけど、生き難くなるほど幻想が巨大化したことについては、僕も共犯関係にあるのかもしれなかった。人の評価など気にしないという神谷さんのスタンスや発言の数々は、負けても負けではないと頑《かたく》なに信じているようにも見え、周囲から恐れられた。恐怖の対象は排除しなければならないから、それを世間は嘲笑の的にする。市場から逸脱した愚かさを笑うのだ。

Zepp東京に若手が集い、漫才を二本ずつ披露するイベントがあった。テレビやイベント関係者への若手芸人見本市という趣旨だった。一本目の漫才で、あほんだらは大きな笑いをとった。そして、二本目では一本目と全く同じ内容のかけ合いをスピーカーから流し、二人は口を動かしながら動くだけの漫才を演じた。いわゆる、口パクというものだ。声と二人の動きは微妙にずれ、大きな違和感となって不思議な笑いを生みだしていた。途中で大林さんが神谷さんの頭を強く叩くと神谷さんは、手で頭を押さえて漫才を中断した。それでもスピーカーからは、二人の軽妙な掛け合いがとまることなく流れ続けているので、視覚と聴覚の連動性を失った会場の観客達からは、その日一番の爆発的な笑いが巻き起こった。

しかし、イベントのエンディングで審査委員長は、「一部、音響を使った漫才ではないコンビもいましたが」とあほんだらを否定する発言をした。他の芸人達も面白さと笑いの

量は認めながらも、あほんだらから「面白い」という評価を意識的に剝奪して、笑える変なコンビというレッテルを張って安心しているような印象を受けた。一本目の正統な漫才は忘れたふりをして。

「売れる気ないでしょ?」と笑いながら他の芸人に言われる神谷さんは、終始納得のいかない顔をしていた。これを自分達のライブでコントとして演じていれば何の問題もなかっただろう。だが、神谷さんにとっては漫才を観にきた客の前で平然と事件を起こすことこそが面白いことだったのかもしれない。僕としては、この次が観たかった。正統な漫才を披露した後、それを二本目でどう破壊するのか。漫才かどうかは置いといて。他にどんな方法があるのか興味があった。しかし、誰かが神谷さんにその場所を提供することはなかった。

神谷さんは、信念を持っていた。周囲に媚びることが出来ない性質は敵も作りやすい。それでも神谷さんは戦う姿勢を崩さなかった。舞台に誰がいても、観客が一人も求めていない状況でも神谷さんは構わずに、自分の話をした。一部の芸人には賞賛されたし、一部の芸人からは煙たがられた。僕は神谷さんになりたかったのかもしれない。だが、僕の資質では到底神谷さんにはなれなかった。

神谷さんにも後輩は増えた。お互いの所属事務所の芸人と遊ぶことが増えた。寂しくもあったが、それは必然でもあった。以前から僕を慕ってくれていて、最近懇意にしている

後輩は、神谷さんの資質に対して懐疑的ですらあった。そんな時、僕は迷うことなく後輩の才能を疑った。

*

珍しく早い時間に仕事が終わったので、神谷さんを誘った。神谷さんは既に誰かと夜中に会う約束をしていたらしく、それまでならと少しだけ会うことになった。

午後七時に池尻大橋の駅前で待ち合わせた。色づいた銀杏《いちょう》を見て、秋だと感じ、そのあまりに平凡な意識の流れをみっともないと思った。そこに現れた神谷さんを見て僕は我が目を疑った。神谷さんの髪の毛は綺麗な銀髪に染められており、黒のタイトなシャツに黒のスリムなパンツを身に纏い、黒のデザートブーツを履いていた。つまり、神谷さんは僕と全く同じスタイルになっていたのだ。僕は数年前から煩わしさもあり、日常でも舞台でも同じ格好をしていたので、そのことを、神谷さんが知らない筈がない。

「神谷さん、どうしたんですか？　その格好？」と僕が言うと、「一回金髪にして色抜いてから、銀にすんねやな。頭痛かったわ」と神谷さんは自分の頭を触りながら言った。悪ふざけで、僕と同じ格好にしたわけではなさそうだった。

神谷さんが三宿に引っ越してからは、池尻大橋駅前の老舗の居酒屋で呑むことが多かっ

た。看板メニューは味噌カツとへぎ蕎麦の完全な和風居酒屋であるにもかかわらず、入口のすぐ脇には西洋人の顔をした古い人形が座っている不思議な店だった。この後、神谷さんは、知り合いの女性に食事を作って貰う約束をしているらしく、料理を注文せず漬物をあてにして、ボトルの焼酎を水割りで少しずつ呑んでいた。近況を報告し合っているうちに時間は過ぎていったが、神谷さんは酔ったのか、なかなか帰ろうとしなかった。

「そろそろ、行かれた方がいいんじゃないですか?」既に時計は十二時を回っていた。

「いや、お前と呑めるの久しぶりやから嬉しくてな」神谷さんは酔うと甚だしく判断力が低下する。先約があったにもかかわらず、僕を気遣い来てくれたのは嬉しかったが、待たせている人に申し訳なかった。だからと言って、強制的に帰らせるのも失礼だと思った。僕も神谷さんと同じペースで呑んでいたので、相当酔っていたのかもしれない。なにより僕は空腹に耐えられなくなった。もう漬物だけで五時間以上呑んでいる。なにか食べるものを注文したいが、神谷さんはこの後、食事があるのだし、会計は先輩である神谷さんがするわけだから僕の独断で注文するわけにはいかない。とは言うものの、腹が鳴って仕方がない。その時、チャンスが訪れた。

「あと一杯だけ呑んだら行こう。ちょっと、トイレ行ってくるわ」と言って神谷さんが席を立ったのだ。神谷さんの足取りは非常に頼りなかった。今なら、おかずを一品くらい頼んでも気づかないだろう。気づいたとしても、店員が料理を持ってきた時に、ずっと話し

続けていれば有耶無耶に出来ると思った。すぐに店員を呼び、僕はソーセージの盛り合わせを頼んだ。神谷さんはまだ戻ってこない。トイレで吐いているのかもしれない。しばらくすると、店員が注文した料理を運んできたのだが、あろうことかソーセージの盛り合わせは大きな七輪で出てきてしまった。間が悪く、そのタイミングで席に戻ってきた神谷さんが、七輪を睨みながら「おい、おい、お前どえらいもん頼んでくれたのお」と言った。七輪の大きさが僕の欲望を表現しているようで、なんとも恥ずかしかった。

「すみません、まさか七輪が来ると思わなかったので」と謝ると、神谷さんは「腹が減ってるんやったら一緒に行こ」と言って、食事を作ってくれる女性の家に僕も行くことになってしまった。

先程、十二時を過ぎたばかりだった筈が、ソーセージを摘まみながら結局二杯ずつ呑んだら、いつの間にか午前三時になっていた。国道を歩き三軒茶屋を越えて、世田谷通りに入り、しばらく進むと右手に住宅街が広がっていて、その一角に女性のアパートはあった。神谷さんは慣れた様子で階段を昇り、呼び鈴を鳴らした。待っていた女性がドアを開けた。僕は初めて会うその女性に、遅くなったことと、突然の訪問を詫びた。その女性は僕を見て、「うわ、徳永さんだ」と笑顔で言った。由貴さんという名前だった。

「なっ、仲良いって言うたやろ?」と神谷さんが得意気に言った。

机の上には、小さな鍋やコンロや大きな皿に盛られた野菜が置かれ、水炊きの準備が出

来ていた。何故か菜箸とおたまを立てる器だけ料理店にあるような本格的なもので、それを見ていると、長時間待たせていたことを改めて申し訳なく思った。由貴さんは嫌な顔一つせず、手際よくキッチンを行き来して準備をした。

由貴さんはとても太っていた。ふっくらという言葉では到底追いつかない、大きな体格だった。だが、蛍光灯の光に晒されても透き通るように肌が綺麗で、とても清潔な印象を与えた。そして、この人も誰かのようによく笑った。白い壁に響く女性の笑い声が自然と、いつかの真樹さんの笑い声と重なった。

いつの間にか、僕達は随分と遠くまでやってきた。

まったく先が見えない状況のなか、得体の知れない後ろめたさや恐怖に苦しみながらも、なんとか必死でやってきた。深夜バイトは、突然入ったオールナイトライブに出演するため、急に休んでクビになった。次のバイト先では年下に変なあだ名も付けられた。でも最近、ようやく漫才だけで食べていけるようになった。もう少ししたら、実家に仕送りが出来るようになるかもしれない。

一度家族を劇場に招待するのもいいかもしれない。その後、なにか美味しいものでも食べにいこう。

テレビから聴き慣れた音楽が流れてきた。僕が出演している漫才番組だった。由貴さんが、「スパークス出てるよ！」と声を上げた。

一瞬、神谷さんの顔色が変わった。由貴さんは、誰のネタでも平等に笑った。神谷さんは黙って、じっと画面を見つめている。次はスパークスの番だった。出囃子が鳴り、画面の中で僕と相方がスタンドマイクの正面に立つ。由貴さんは、今までよりも声を出して笑っている。神谷さんは微動だにせず、真っ直ぐに画面を見つめている。笑えや。やっぱり、笑わない。胸の辺りで渦巻いていた焦燥のような感覚が、すこんと腹の底に落ちた途端、僕の耳元で僕の声が聴こえてきた。「こいつ、殴ったろか。段々、腹立ってきた。なんで、俺と同じ格好してんねん」徐々に耳元で聴こえる声が大きくなる。僕達のネタが終わった。

由貴さんは、面白かったと言って、僕達のネタが終ってからも思いだしてまで笑っていた。一方の神谷さんは、一言も発さずに一点を見つめている。

「駄目ですかね」神谷さんに問いかけた僕の声は震えていた。

神谷さんは鍋の灰汁《あく》を取りながら、「せやな、もっと徳永の好きなように面白いことやったったらいいねん」と、無邪気な言葉をつぶやいた。

神谷さんが誤って灰汁取りの柄の部分を下にして器に突っ込んでしまったので、僕と神谷さんの間にスタンドマイクが立ったような按排《あんばい》になった。

「出来ないんですよ」

頭に血液がのぼっていく感覚があった。

出来ないのだ。神谷さんが、この漫才を面白くないと言うのなら、もう僕には出来ない。

僕は神谷さんとは違うのだ。僕は徹底的な異端にはなりきれない。その反対に器用にも立ち回れない。その不器用さを誇ることも出来ない。嘘を吐くことは男児としてみっともないからだ。知っている。そんな陳腐な自尊心こそみっともないなどという平凡な言葉は何度も聞いてきた。でも、無理なのだ。最近は独りよがりではなく、お客さんを楽しませることが出来るようになったと思っていた。妥協せずに、騙さずに、自分にも嘘を吐かずに、これで神谷さんに褒められたら最高だと一人でにやついていた。昔よりも笑い声を沢山聞けるようになったから、神谷さんの笑い声も聞けるんじゃないかと思っていた。でも、全然駄目だった。日常の不甲斐ない僕はあんなにも神谷さんを笑わすことが出来るのに、舞台に立った僕で神谷さんは笑わない。

神谷さんが、何を見て、何を面白いと思っているのか、どうすれば神谷さんが笑ってくれるのか、そんなことばかり考えていた。美しい風景を台なしにすることこそが、笑いだと言うのなら、僕はそうするべきだと思った。それが芸人としての正しい道だと信じていた。

僕は本当に自分に嘘を吐かなかっただろうか。

神谷さんは真正のあほんだらである。日々、意味のわからない阿呆陀羅経を、なぜか人を惹き付ける美声で唱えて、毎日少しのばら銭をいただき、その日暮らしで生きている。無駄なものを背負わない、そんな生き様に心底憧れて、憧れて、憧れ倒して生きてきた。

僕は面白い芸人になりたかった。僕が思う面白い芸人とは、どんな状況でも、どんな瞬間でも面白い芸人のことだ。神谷さんは僕と一緒にいる時はいつも面白かったし、一緒に舞台に立った時は、少なくとも、常に面白くあろうとした。神谷さんは、僕の面白いを体現してくれる人だった。神谷さんに憧れ、神谷さんの教えを守り、僕は神谷さんのように若い女性から支持されずとも、男が見て面白いと熱狂するような、そんな芸人になりたかった。言い訳をせず真正面から面白いことを追求する芸人になりたかった。不純物の混ざっていない、純正の面白いでありたかった。

神谷さんが面白いと思うことは、神谷さんが未だ発していない言葉だ。未だ表現していない想像だ。つまりは神谷さんの才能を凌駕《りょうが》したもののみだ。この人は、毎秒おのれの範疇を越えようとして挑み続けている。それを楽しみながらやっているのだから手に負えない。自分の作り上げたものを、平気な顔して屁でも垂れながら、破壊する。その光景は清々《すがすが》しい。敵わない。

いつか誰かが言っていた。神谷は逃げているだけじゃないかと。違う。何もわかっていないと思う。神谷さんは、自分が面白いと思うことに背いたことはない。神谷さんは「いないいないばあ」を知らないのだ。神谷さんは、赤児相手でも全力で自分の笑わせ方を行使するのだ。誤解されることも多いだろうけど、決して逃げている訳ではない。

神谷さんが相手にしているのは世間ではない。いつか世間を振り向かせるかもしれない

何かだ。その世界は孤独かもしれないけれど、その寂寥は自分を鼓舞もしてくれるだろう。僕は、結局、世間というものを剝がせなかった。本当の地獄というのは、孤独の中ではなく、世間の中にこそある。神谷さんは、それを知らないのだ。僕の眼に世間が映る限り、そこから逃げるわけにはいかない。自分の理想を崩さず、世間の観念とも闘う。「いないいないばあ」を知った僕は、「いないいないばあ」を全力でやるしかない。それすらも問答無用で否定する神谷さんは尊い。でも、悔しくて悔しくて、憎くて憎くて仕方がない。

神谷さんは、道なんて踏み外すためにあるのだと言った。僕の前を歩く神谷さんの進む道こそが、僕が踏み外すべき道なのだと今、わかった。

「そんなつもりじゃないねんで」

僕は神谷さんの優しい声に弱い。漫才番組が終わり、テレビ画面には情報番組が流れている。由貴さんは気を使って寝室に引っ込んだようだ。

「いや、面白くないんでしょ」

僕は自分の人生のために、神谷さんを全力で否定しなければならない。

「おもろないってことではないねん。俺、徳永が面白いん知ってるから。徳永やったら、もっと出来ると思ってまうねん」

神谷さんは言いにくそうに小さな声で言った。

「ほな、自分がテレビ出てやったらよろしいやん」

神谷さんが、口を強く結ぶ音が聴こえたような気がした。

「ごちゃごちゃ文句言うんやったら、自分が、オーディション受かってテレビで面白い漫才やったら、よろしいやん」

僕が言いたかったのは、こんなしょうもないことだっただろうか。

「せやな」

神谷さんは顔を上げずに言った。

「神谷さんと同じように、僕だって、僕だけじゃなくて、全ての芸人には自分の面白いと思うことがあるんですよ。でも、それを伝えなあかんから。そこの努力を怠ったら、自分の面白いと思うことがなかったことにされるから」

「考え過ぎちゃうか、もっと気楽に好きなことやったらいいんちゃうか」

「趣味やったらね、趣味やったらそれでいいと思うんですよ。でも、漫才好きで続けたいなら、そこを怠《おこた》ったらあかんでしょ」

神谷さんは、深く考え込む表情を浮かべたまま何も言わなかった。

「捨てたらあかんもん、絶対に捨てたくないから、ざるの網目細かくしてるんですよ。ほんなら、ざるに無駄なもんも沢山入って来るかもしらんけど、こんなもん僕だって、いつでも捨てられるんですよ。捨てられることだけを誇らんといて下さいよ」

「徳永、すまんな」と神谷さんは小さな声で言った。

どうせなら、殴ってほしかった。

「あと、その髪型って僕の真似ですよね？　服装も僕の真似ですよね？　神谷さん人の真似するのは死んでも嫌やって言うてましたよね？　自分自身の模倣もしたくないとか偉そうに言うてましたよね？　それ模倣じゃないんですか？」

こんなことが言いたかった訳ではない。神谷さんの説明など聞かなくても、この時にはもう神谷さんの気持ちがほとんどわかっていた。

「いや、お前の髪型見てな格好良いと思って」

それだけのことなのである。神谷さんにとっては、笑いにおける独自の発想や表現方法だけが肝心なのだ。髪型や服装の個性になど全く関心がないのである。定食屋で友人が美味しそうな飯を食っていたから、同じ物を注文したことと何ら変わりないことなのだ。友人と同じ定食を食べながら、誰も思いつかないようなネタを考えるのが神谷さんの生き方なのだ。僕達は世間から逃れられないから、服を着なければならない。何を着るかということが絵画の額縁を選ぶだけのことであるなら、絵描きの神谷さんの知ったことではない。だが、僕達は自分で描いた絵を自分で展示して誰かに買って貰わなければいけないのだ。額縁を何にするかで絵の印象は大きく変わるだろう。商業的なことを一切放棄するという行為は自分の作品の本来の意味を変えることにもなりかねない。それは作品を守らないこ

とにも等しいのだ。

「模倣ですやん」と言った僕の声は震えていた。

どうしようもなく重たい空気が僕達を囲み、いつまでも、僕は動けずにいた。神谷さんは、憂鬱な雰囲気のまま立ち上がると、箪笥の引き出しを開けて何かを探している。ガサガサと引き出しの中で音がしている。そして、何かを取り出すと勢いよく風呂場に入った。

由貴さんは寝室から出てこない。それを、有り難く思った。僕は自分の才能のなさを神谷さんの責任にしようとしているのだろうか。いや、違う。僕は本心を話し、みっともない恥部も全て曝《さら》け出して、それを神谷さんに引っ繰り返して貫いたかったのだ。

風呂場から出てきた神谷さんの髪型はガタガタになっていた。ハサミで坊主にしようと思ったのだろうけど、耳の後ろに長い毛が残っていたりして、見ていられなかった。

「ベッカム目指したら、水前寺清子みたいになってもうた」と言った。

「チータにも、全くなってないですよ」と僕が言ったら、神谷さんは声を出して笑った。

神谷さんは改めて僕に謝ると、冷蔵庫に酒を取りに行った。僕の顔を見ないようにしてくれていたのだろうけど、角度的に難しかったのか、腰を変に捩《ね》じらせて、「あ、ちゃうわ」と一人でつぶやいていた。

そこから、どうやって家まで帰ったのか思い出せない。翌日、電話を掛けたが神谷さんは出てくれなかった。メールで謝罪の文章を送ると、すぐに返信があったが、「酔うてて、

全然覚えてないから大丈夫やで！」という文面の似合わない感嘆符が妙に哀しかった。

＊

僕達が出演していた漫才番組が一年で終わった。この番組で得たものは大きい。深夜番組に呼ばれることもあったし、他のネタ番組にも幾つか出演した。この年の学園祭は都内だけではなく地方の学校にも沢山呼ばれた。ほとんど若者に限った一時的な人気であることとは、番組に出ている全ての芸人が理解していたと思う。僕達は勘違いをするには、あまりにも歳を取り過ぎていた。勘違いしたふりをして顰蹙《ひんしゅく》を買うことさえも仕事だと思える程に歳を取り過ぎていた。スタンドマイクを目指して走って行く時の歓声を僕は信じられない気持ちで聞いていた。僕は高円寺の家賃二万五千円の風呂なしアパートから下北沢の家賃十一万のマンションに引っ越した。浮かれているように見えたかもしれないが、僕は妙に落ち着いていていて、経験として人生に一度くらいマンションというものに住んでみる時期があっていいと思ったのだ。相方には恋人が出来て恵比寿で同棲を始め、結婚するのだと息巻いていた。神谷さんとは、あれ以来、会っていなかった。あほんだらの噂も耳にしなくなった。

僕達の世代が多く出演した漫才番組に、あほんだらが呼ばれることは最後までなかった。

その番組に出たコンビと出ていないコンビでは生活に大きな差が出た。だが、そんな生活も長くは続かなかった。それも、もちろんわかっていた。そうならなければいいなという期待は確かにあったけれど。

その中の何組かはゴールデンの時間帯で少しずつ見かけるようになったし、別の数組は解散してしまった。ピン芸人として新たに活動を始める者もいた。構成作家に転職する者もいた。実家に帰って別の仕事に就く者もいた。僕は芸人になってからの多くの時間を神谷さんと共に過ごしたし、ここ数年は同じ事務所の後輩と過ごすことが多かった。

社交性の乏しい僕は多くの芸人と深く関わったわけではない。

しかし、僕は個人的な関係がなかったとしても、同じ時代に同じ劇場で共に戦った全ての芸人達を誇らしく思う。汚れたコンバースで楽屋に入ると、同じように貧相な格好をした連中が沢山いた。彼等は、束の間、自分が世間から置き去りにされ、所詮芸人と馬鹿にされていることを忘れさせてくれた。それは駄目な竜宮城みたいなものだったかもしれないけれど。一言も話したことなどなくとも、もし彼らがいなかったら、こんな狂った生活を十年も続けることは出来なかっただろう。

そして、薄々気づいてはいたが、僕達の仕事も徐々に減っていた。かつて僕を恐れさせ、成長させてくれた後輩達も新たな人生を歩み出していた。僕達の永遠とも思えるほどの救い様のない日々は決して、ただの馬鹿騒ぎなんかではなかったと断言できる。僕達はきち

んと恐怖を感じていた。親が年を重ねることを、恋人が年を重ねることを、全てが間に合わなくなることを、心底恐れていた。自らの意思で夢を終わらせることを、本気で恐れていた。全員が他人のように感じる夜が何度もあった。月末に僅かなお金を持ち寄って酒を呑み、不安を和らげ、純粋な気持ちで一切の苦難を忘却の彼方に押しやるネタをそれぞれが考え練り実行した。これで世界が変わるんじゃないかと、自分を鼓舞し無理やり興奮していた。いつか自分の本当の出番が来ると誰もが信じてきた。

ある平日の午後。僕は突然相方に呼び出された。用件は聞かず、何度もネタ合わせで利用した喫茶店に僕は向かった。店のドアを開けて、いつもと同じ座席に座る相方の顔を見た時、もう何を言われるのかをほとんど理解していた。相方は同棲している彼女と籍を入れたのだと言った。そして、奥さんのお腹の中には双子の赤ちゃんがいるのだということも。

「生まれてくる子供のためにと言ったら言い訳になるかもしれへん。でも、生まれてくる子供達が背中を押してくれたんは確かやと思うねん」と相方は言った。実に清々しくいい顔をしていた。こいつはけつを捲《まく》るわけではなく、ここに留まるのではなく、新しい挑戦をするのだなと思った。

「おめでとう。ほんなら、急いで三人と双子とで住む家探さなあかんな」と僕が言うと、

相方はすかさず、「お前は一緒に住まんでええねん！」と言った。あまりにも、はっきりとコンビの役割が明確に発揮されたことが僕は妙に恥ずかしかったが、相方は「向こうの親に何て説明すんねん」などと話を繋ぎ、まだ僕にボケさせようとしていた。この薄汚れた壁の喫茶店は若者が好んで来るような店ではないが、いつ来ても席が空いていて、僕達を排除する雰囲気が微塵もなく、居心地がよかった。こいつと、ここに来ることももうないのだと思うと、見飽きたはずの珈琲カップさえも愛しく思えた。

今声を出すと、頼りなく震えるだろう。二度聞きされることを恐れ、「十年間、ありがとう」という言葉は呑み込んだ。

僕達は事務所に解散することを伝えた。事情を説明すると誰もとめたりはしなかった。スパークスとして既にスケジュールに入っている、幾つかの仕事を終えて正式に解散となる運びとなった。僕達が出演する最後の事務所ライブには噂を耳にして、普段よりも多くのお客さんが駆けつけてくれた。誰かには届いていたのだ。少なくとも誰かにとって、僕達は漫才師だったのだ。

出囃子が鳴り響き、僕は袖からスタンドマイクに向かって一礼する。相方は僕を追い越し舞台に飛び出して行く。僕も相方の後を追い照明を浴びる。大きな拍手が聞こえる。僕達はスタンドマイクに向かって走る。成人式の時に漫才用として買ったお揃いのタイトな

黒のスーツに何度袖を通してきただろうか。大人になった僕達は綺麗な靴を履くことを覚えた。スタンドマイクを挟んで立つ。相方がスタンドマイクに少しだけ触れて、「どうも、スパークスです」と挨拶すると大きな拍手が狭い劇場に鳴り響いた。

僕が口上として、「世界の常識を覆《くつがえ》すような漫才をやるために、この道に入りました。僕達が覆せたのは、努力は必ず報われる、という素敵な言葉だけです」と言うと、「あかんがな！」と相方が全力で突っ込み、笑いが起こった。

「感傷に流され過ぎて、思ってることを上手く伝えられへん時ってあるやん？」

「おう」

「だから、あえて反対のことを言うと宣言した上で、思っていることと逆のことを全力で言うと、明確に想いが伝わるんちゃうかなと思うねん」

「お前は、最後まで、何をややこしいこと言うとんねん」

「まあ、やったらわかるわ。行くぞ」

「おう」

「おい、相方！」

「なんや？」

「お前は、ほんまに漫才が上手いな！」

「おう。いや喜びかけたけど、これ思ってることと反対のこと言うてんねんな」

「一切噛まへんし、顔も声もいいし、実家も金持ちやし、最高やな！」

「腹立つわこいつ」

「天才！　天才！」

「ど突き回したろか！」

山下が大声を張り上げると、一際大きな笑い声が劇場に響いた。この小さな劇場では毎日のように、お笑いライブが開催されてきた。劇場の歴史分の笑い声が、この薄汚れた壁には吸収されていて、お客さんが笑うと、壁も一緒になって笑うのだ。

「だけどな、相方！　そんな天才のお前にも幾つか大きな欠点があるぞ！」

「なんや！」

「まず、部屋が汚い」

「しょぼいねん！　確かに部屋は綺麗にしてる方やけど、もっとあるやろ！」

「小食の遅食い」

「僕ね、大食いの早食いなんです。おい、俺アホみたいやんけ！」

山下と一緒に食事をとると食べ終わるのが早過ぎて、いつも焦らされた。

「彼女がブス」

「いや、嬉しいけど、それ俺のことと違うやん！」

品があって、優しくて最高の彼女だった。

「相方が素晴らしい才能の持ち主！」

「はあ？」

「そんな、素晴らしい才能の天才的な相方に、この十年間、文句ばっかり言うて、全然ついてきてくれへんかったよな！」

僕は、天才になりたかった。人を笑わせたかった。

「なに言うてんねん」

僕を嫌いな人達、笑わせてあげられなくて、ごめんなさい。

「そんな、お前とやから、この十年間、ほんまに楽しくなかったわ！　世界で俺が一番不幸やわ！」

相方が僕を漫才師にしてくれた。

「ほんで、客！　お前等ほんまに賢いな！　こんな売れてて将来性のある芸人のライブに、一切金も払わんと連日通いやがって！」

そして、お客さんが、僕を漫才師にしてくれた。

「お前等、ほんまに賢いわ。おかげで、毎日苦痛やったぞ。ボケ！」

「おい、口悪いな」

相方の顔はもうボロボロだった。

「俺の夢は子供の頃から漫才師じゃなかったんです。絶対に漫才師になんて、ならんとこ

うと思ってたんです。それがね、中学時代にこの相方と出会ってしまったせいで、漫才師になってもうたんですよ。最悪ですよ！　そのせいで、僕は死んだんです。こいつが、僕を殺したようなもんですよ。よっ！　人殺し！」

客席が揺れて見えなくなってきた。

「たまにね、僕達のこと凄い褒めてくれる人がいるんですよ。それが、凄く嬉しくてね。人生を肯定してくれるような喜びを得られるわけですよ。でもね、それに水を差すような奴等がいてね、それが、お前等！」

そう言って僕は客席を睨んだ。

「お前等は、スパークスは最低だ！　見たくもねえ！　とか言って、僕の人生を否定するわけですよ。ほんまに大嫌い！」

客席から啜り泣く声が聞こえてきた。皆、笑いながら泣いている。神谷さんがいた。客席の一番後ろで一番泣いている。

「僕達、スパークスは今日が漫才をする最後ではありません。これからも、毎日皆さんとお会い出来ると思うと嬉しいです。僕は、この十年を糧《かて》に生きません。だから、どうか皆様も適当に死ね！」

いつか、こんな風に唾を撒き散らして大声で叫ぶ漫才がやってみたかったのだ。

「死ね！　死ね！　死ね！　死ね！　死ね！　死ね！　死ね！　死ね！」

今、僕は漫才をしている。相方と漫才をしている。僕は相方に向かって叫んだ。

「死ね！　お前も家族と別々で死ね！」

「やかましいわ！」

もっと漫才をやりたい。ずっと漫才を続けたい。こいつの声は本当によく通る。俺のことを信用してついてきてくれたのに、悔しい思いとか、辛い思いとか一杯したやろう。ほんま、ごめん。

「お前な、暴言吐きまくって、お客さんと相方泣かせて、これのどこが漫才やねん！　漫才というのは、お客さんを笑わさなあかんねん！」と相方が言った。

「ほんなら、最後の最後に常識覆す漫才出来たってことやな」

「やかましいわ！」

終わりたくないと思っていた。

「お前も、この漫才の最後に言うことないんか？」

「相方！　お客さん！　僕は皆さんに全然感謝してません！」

敢えて、一瞬の間を置こう。

「お前、最低な奴やな」

「いや、俺も反対のこと言うたんや。わかるやろ！」

客席から、ようやく純粋な笑い声が聞こえた。

「お前はほんまに漫才が上手いなあ」

「もうええわ！」

僕達は深々と頭を下げた。いつまでも拍手は鳴りやまなかった。

その日のネットニュースに「スパークス解散！」という記事が出た。それを見た実家の母親から、「お疲れさん」というメールが届いた。この十年間、親には仕事のいい知らせしか聞かせていなかった。これから死ぬ気で恩返しをしよう。両親も、僕を漫才師にしてくれたのだった。記事を開きコメント欄に眼を通した。

「誰だよ！」

「知りません。芸人多過ぎ！」

「面白くない芸人が解散したことを何故伝える必要があるのか？」

「一瞬テレビ出てたけど、つまんないからすぐに消えたね。がんばれ！」

「知らない！　って人がほとんどじゃない？　私もその一人だけど」

「芸のない人は芸人ではありません」

「こいつら、面白くない。もう、昔みたいに面白い漫才師は出て来ないのかね？」

「写真古いですね。これしかなかったの？」

「銀髪の印象しかない。すみません」

「もっと早い方がよかったと思います」

「素人の俺の方が絶対に面白い」

「スパークスの漫才好きでした」

「町内会のコンビでしょ？　最近は誰でもなれる」

「髪染めて、チャラチャラやってんじゃねーよ、カスがっ！」

「お疲れさまでした。（誰？・）」

「最後にネットニュースに載れただけでもよかったんじゃない？」

「誰？　とか書くと、わざわざそんなこと書き込むな！　みたいなレスあるけど、この人達に関しては大丈夫そうだね。うん。私も知らない」

「知らねえよ！　どの基準で記事書いてんだ？」

「最近の若手は、ちっとも面白くない」

「修業もせずに世に出るから、淘汰される」

僅かながらの肯定的なコメントには本当に感謝した。救われた。僕達を含め、若手芸人全体に対する否定的な意見には、笑わせてあげられなくて申し訳ないと思った。常に芸人が面白いという幻想を持たせてあげられなくて残念に思った。

僕は小さな頃から漫才師になりたかった。僕が中学時代に相方と出会わなかったとしたら、僕は漫才師になれただろうか。漫才だけで食べていける環境を作れなかったことを、誰かのせいにするつもりはない。ましてや、時代のせいにするつもりなど更々ない。世間

からすれば、僕達は二流芸人にすらなれなかったかもしれない。だが、もしも「俺の方が面白い」とのたまう人がいるのなら、一度で良いから舞台に上がってみてほしいと思った。「やってみろ」なんて偉そうな気持など微塵もない。世界の景色が一変することを体感してほしいのだ。自分が考えたことで誰も笑わない恐怖を、自分で考えたことで誰かが笑う喜びを経験してほしいのだ。

必要がないことを長い時間をかけてやり続けることは怖いだろう？　一度しかない人生において、結果が全く出ないかもしれないことに挑戦するのは怖いだろう。無駄なことを排除するということは、危険を回避するということだ。臆病でも、勘違いでも、救いようのない馬鹿でもいい、リスクだらけの舞台に立ち、常識を覆すことに全力で挑める者だけが漫才師になれるのだ。それがわかっただけでもよかった。この長い月日をかけた無謀な挑戦によって、僕は自分の人生を得たのだと思う。

吉祥寺ハーモニカ横丁の美舟に行くのは随分と久しぶりだった。二階に続く急な階段が懐かしかった。二階の座敷には人が溢れていた。小さなテレビの横に置かれた招き猫もまだあった。僕の眼の前には神谷さんが座っていて、肉芽をつつきながら焼酎の水割りを呑んでいる。

「スパークスの漫才めっちゃ面白かったな」

神谷さんは、嬉しそうにそう言うと焼酎を一気に飲み干した。

「神谷さん、泣いてたでしょ?」思い出すと笑えてくる。

「確かに泣いたけど、あんな漫才見たことないもん。あの理屈っぽさと、感情が爆発するとこと、矛盾しそうな二つの要素が同居するんがスパークスの漫才やな」

神谷さんは僕の方を見ずに太い声を出した。

「誰も笑ってませんでしたけど、神谷さんに褒められるのが一番嬉しいです」

これは紛れもない僕の本心だった。

「毎回、出てきていい話ばっかりする漫才師が一組だけおっても面白いと思うんやけどな。そんなん見たいもん」

神谷さんは、呑み始めてからずっと僕のことを褒めてくれていた。あの頃と同じように、安い惣菜達が僕等を癒してくれた。僕は神谷さんに何かを謝らなければならないような気がしていた。

「神谷さん、すみません」

神谷さんは、特に返事もせず美味しそうに肉芽を食べている。神谷さんは漫才を辞める僕のことをどう思うだろうか。神谷さんは生れてから死ぬまで自分は漫才師であると公言するような人だから、スパークスが解散したとしても僕が芸人を辞めることなんて考えてもいないのではないか。たとえ幻滅されたとしても、一番世話になった神谷さんに、話さ

なければいけない。逃げてはいけない。

「神谷さん、僕まだ何やるかは決めてないんですけど、芸人辞めようと思ってます」

「うん」

神谷さんは、柔らかい表情で僕を見ている。店が騒がしくてよかった。

「もう、決めたんやろ？」

「はい。僕、山下としか出来ないんで。あいつが辞めるって決断したということは、そういうことやと思うんです」

僕は神谷さんの優しい声に弱いのだ。神谷さんと毎日のように遊んでいた濃密な日々があって、僕は今日まで漫才師でいられたのだなと強く思った。神谷さんとの出会いは、僕にとって本当に幸運だった。師匠の神谷さんに相談もせず、違う世界に行くという決断をしたことを後悔はしていない。神谷さんのおかげで、僕は早口で話すことを諦められた。不良でないことを後ろめたくも思わなくなった。神谷さんから僕が学んだことは、「自分らしく生きる」という、居酒屋の便所に貼ってあるような単純な言葉の、血の通った激情の実践編だった。僕は、そろそろ神谷さんから離れて自分の人生を歩まなければならない。

「徳永」

肉芽を呑みこんだ神谷さんが、顔を上げた。

「はい」

この話は笑って聞こうと思った。

「俺な、芸人には引退なんてないと思うねん。徳永は、面白いことを十年間考え続けたわけやん。ほんで、ずっと劇場で人を笑わせてきたわけやろ」

神谷さんの表情は柔らかかったが語調は真剣だった。

「たまにな、誰も笑わん日もありましたけどね」

「たまにな。でも、ずっと笑わせてきたわけや。それは、とてつもない特殊能力を身につけたということやで。ボクサーのパンチと一緒やな。無名でもあいつら簡単に人を殺せるやろ。芸人も一緒や。ただし、芸人のパンチは殴れば殴るほど人を幸せに出来るねん。だから、事務所やめて、他の仕事で飯食うようになっても、笑いで、ど突きまくったれ。お前みたいなパンチ持ってる奴どっこにもいてへんねんから」

急にボクシングで例え出したことを指摘したら、神谷さんは怒るだろうか。「笑いで、ど突きまくったれ」とは、なんと格好悪くて、なんと格好良いんだろう。

「漫才はな、一人では出来ひんねん。二人以上じゃないと出来ひんねん。でもな、俺は二人だけでも出来ひんと思ってるねん。もし、世界に漫才師が自分だけやったら、こんなにも頑張ったかなと思う時あんねん。周りに凄い奴がいっぱいいたから、そいつ等がやってないこととか、そいつ等の続きとかを俺達は考えてこれたわけやろ？　ほんなら、もう共同作業みたいなもんやん。同世代で売れるのは一握りかもしれへん。でも、周りと比較さ

れて独自のものを生み出したり、淘汰されたりするわけやろ。この壮大な大会には勝ち負けがちゃんとある。だから面白いねん。でもな、淘汰された奴等の存在って、絶対に無駄じゃないねん。やらんかったらよかったって思う奴もいてるかもしれんけど、例えば優勝したコンビ以外はやらん方がよかったんかって言うたら絶対そんなことないやん。一組だけしかおらんかったら、絶対にそんな面白くなってないと思うで。だから、一回でも舞台に立った奴は絶対に必要やってん。ほんで、全ての芸人には、そいつ等を芸人でおらしてくれる人がいてんねん。家族かもしれへんし、恋人かもしれへん」

僕にとっては相方も、神谷さんも、家族も、後輩もそうだった。真樹さんだってそうだ。かつて自分と関わった全ての人達が僕を漫才師にしてくれたのだと思う。

「絶対に全員必要やってん」

神谷さんは小指でグラスの氷を掻き混ぜていた。

「だから、これからの全ての漫才に俺達は関わってんねん。だから、何をやってても芸人に引退はないねん」

神谷さんは、そう言って、氷しか入っていないグラスを口につけ、少し照れ臭そうにした。

「ありがとうございます。どんな環境に行っても、笑いで、ど突き回してきます」と、笑いという箇所を誇張して言うと、神谷さんは、「お前、おちょくってるやろ」と言った。

＊

僕は芸人を辞めて、取りあえずは二軒の居酒屋で休みなく働き生計を立てた。相方は大阪の実家に帰り、携帯ショップに就職が決まったようだった。神谷さんとは時々、連絡を取った。神谷さんの伝記のために書き溜めたノートは二十冊を超えていた。その半分以上は自分やスパークスや恋愛に纏わることだった。この中から、神谷さんを神谷さんたらしめる逸話だけを集めれば、もしかしたら伝記になるかもしれない。

だけど、僕は未だ伝記というものを一冊も読んだことがなかった。神谷さんに絶対に載せるようにと言われた自作のポエムなども取ってあったが、伝記にはそういうのも載せるものだろうか。

十一月の半ばを過ぎ、本格的な冬の到来を感じさせる風が吹いた頃、神谷さんの居場所を知らないかと大林さんから電話があった。急に連絡が取れなくなり、仕事にも来ないのだと言う。僕もすぐに神谷さんに電話をかけてみたが繋がらなかった。その日のうちに、三宿のアパートにも行ってみたが、ドアノブには入居者用の電気とガスのお知らせがかかっていたので、もうここには住んでいないのだろう。ふと、三軒茶屋の由貴さんの家にいるのではないかと思ったが、神谷さんの意志で出てこないのであれば無闇に訪ねて行くべ

きではないと思った。大林さんの話によると、借金が一千万近くまで膨らんでいたらしい。アパートを後にして２４６に出ると冷たい風が間断なく吹きつけてきた。空車のタクシーが何台も連なって走っていた。一台一台が僕の横に来ると様子を窺うように徐行する。それは僕を喰おうと物色する何か巨大な生き物のようにも見えた。神谷さんは、一体どこに行ってしまったのだろう。

＊

僕は知り合いに紹介して貰った下北沢の不動産屋で働くことになった。事務的な作業は決して得意ではなかったが、接客では芸人をやっていたことが大いに役立った。男性二人で部屋を探しに来た若者が、芸人としての僕のことを知っていたことがある。彼等は家が決まったら来年の春から上京し、芸人を目指すのだと言った。彼等は物件を一緒に見に行った時も隙があれば面白いことを言って、僕の反応を窺っていた。僕は終始微笑んでいて、本当に面白い時だけ声を出して笑った。自分達の才能を全く疑わず、お互いの面白さを誇らしげに見せつけようとする彼等が眩しかった。少しだけ知っている漫才師の僕は彼等からすれば、最適な試験紙だっただろう。いつでもネタ合わせが出来るように和田堀公園の近くにある物件を紹介した。

神谷さんは行方不明のままだった。借金が大きくなり過ぎたので、強制的にどこかで働かされているのだとか、変なビデオに出演させられているのだという噂が流れたが、どれも信憑性に欠けるものばかりだった。

その日、僕は下北沢で仕事を終えて、鈴なり横丁でモツ煮をつつきながら一人で呑んでいた。二杯目の焼酎を呑み始めた時に、知らない番号から着信があった。直観的に神谷さんからだとわかった。神谷さんの声を聞くのは一年振りだった。漫才しか出来ない人が一年間もどこで何をやっていたのだ。呑みかけのグラスを一気に空にして、タクシーに飛び乗り池尻大橋まで向かった。駅前の居酒屋「花しずく」に入ると、既に顔を赤くし、ジャンパーを椅子の背もたれにかけ、ゆったりしたセーターの袖を捲りあげた神谷さんが奥の方の席で僕に向かって手を上げた。少し痩せたような気がするが一年前よりも精悍《せいかん》に見えた。だが、姿が見えた瞬間から妙な違和感があった。途轍もなく嫌な予感がする。

「神谷さん、一年も何してたんですか?」

僕の言葉には尋問のような響きがあった。

「なんか探してくれたらしいな。大林が言うてた。あいつに、思いっきり顔面どつかれたわ」と神谷さんが痛そうに頬を抑えた。

大林さんは、関係者に頭を下げに回り、事務所に籍を残したまま神谷さんを待ち続けていたのだ。しかし、この違和感は一体なんだろう。

「徳永、聞いてくれ。最悪やねん。今日な事務所に謝りに行ってんけどな、もうアカンらしいわ」

「そら、そうですよ」

仕事を飛ばした挙げ句、一年も音沙汰なしでは、事件に巻き込まれたとか、何らかの理由がない限り、どんな職種でも解雇されるのは当然のことだろう。

「借金でかなってな、ほんまにどうしようもなくなって、大阪帰って走り回って金作ってんな」

「返せたんですか？」

「結局、自己破産して、危ないとこだけなんぼか返した。徳永、絶対借金すんなよ。借金取り怖いで。ずっと電話ぶちってたらな、留守電にな『俺達が、どうせ取り立てに行かないと思ってるんでしょ。捕まるから。キミ煙草吸ってる？　明日、それと同じ吸殻家の前に置いとくから、あんまり舐めんなよ！』って入っとってん。めっちゃ怖いやろ。ほんで、次の日、玄関開けたら、ほんまに吸殻あってん。いや、青ざめたで。ただな、銘柄見たら、俺の吸ってるショートホープやなくて、ピアニッシモのメンソールやってん。お前が舐めんな！　って思わず叫んでもうたわ。ピアニッシモのメンソールって女子やないか」

神谷さんは久し振りに会ったからか、楽しそうに捲し立てているけれど、なぜか落ち着かない。

「でもな、その後な借金取りと仲良くなってな、一緒にパチンコ行くくらいの関係になってん。でもな、今度はパチンコ屋で友達として金借りてもうてな、それ返さんかったら、お前やっぱ糞やなとか言われて、今もちょっと追われてんねん」

なぜ、この人は折角持って生まれた自分の才能を生かさないのだろう。この期に及んで、なにを楽しそうに話しているのだろう。

その時、僕は違和感の正体に気づいてしまった。それは神谷さんという人物が、どのような男だったかを再確認させるような大きな事件だった。もちろん、世界からすれば取るに足らない瑣末《さまつ》な笑い話だったかもしれない。

もう何年も忘れていた絶望という感情が両手を広げて僕に近づいてきた。古い友人と再会したかのように懐かしく思った。

おもむろにセーターを脱いだ神谷さんの、両胸が大きく膨らんでいたのだ。

左右に巨乳と呼んで差し支えない程の乳房が揺れていたのだ。

「なんですか、それ」

僕は瞬《まばた》きすることも忘れ、その不思議な物体を見つめていた。

「Fカップです」と神谷さんは、両手で胸を支えるようにして、確かにそう言った。

「なにしてんねん」

こいつは何を考えているのだろう。

「どうせなら、大きい方が面白いと思って。シリコンめっちゃ入れてん」

この人は狂っているのだろうか。

「あんな、俺、ずっとキャラクターというものを否定してたけどな、それも違うと思ってん。キャラクターに負けるような面白いことは、全然面白いことじゃないねん」

嬉しそうに話す神谷さんを見て、僕は恐怖と悔しさが入り混じった感情で、束の間、世界を本気で呪った。

「無理や。胸にしか眼行かへんもん」

僕の言葉には突き放すような冷酷な響きがあった。この人が、上手く生きて行けないことなど初めからわかっていた。だけど、僕は、愚直なまでに屈折しているこの人に、余計なお世話かもしれないけれど、平凡な言い方が許されるならば、ただ幸せになって貰いたいのだ。

「それで、誰が笑うねん」

「なんでやねん。面白いやんけ」

「全然、面白くないわ。そんなんキャラクターでも、なんでもないねん。ただの変な奴やんけ。あんた面白いんちゃうんか」

誰にも理解を得られない、この人の存在が悔しい。笑ってあげればよかっただろうか。

「これで、テレビ出れると思ってん」

濁りけのない目で僕を見ている。

「出れるわけないやろ。三十代の巨乳のおっさん誰が笑えんねん」

この人は愚か者だ。畢生《ひっせい》のあほんだらだ。

「お乳入れた時な、自分でめっちゃ面白くてな、一人でずっと笑っててん。でもな、唯一仲良かった社員に会いに行ってな、これでテレビ出たいって言うたら、めっちゃ引いててな、ほんで俺も急に怖くなって来て」

神谷さんは、膝の上で拳を握りしめて俯いている。

「なにしてんねん」

言葉が尖った。

「どえらいことしてもうたと思って、怖くなって、ほんで、徳永やったら笑ってくれると思って」

「笑うか」

僕はこの人に会って、本当に泣き虫になったと思う。

「徳永、どないしよう? テレビ無理やんな?」

神谷さんは、窺うように僕の顔を覗き込んだ。僕は顔を上げて大きく息を吸い込んだ。

「神谷さん、あのね、神谷さんはね、何も悪気ないと思います。ずっと一緒にいたから僕はそれを知ってます。神谷さんは、おっさんが巨乳やったら面白いくらいの感覚やったと

思うんです。でもね、世の中にはね、性の問題とか社会の中でのジェンダーの問題で悩んでる人が沢山いてはるんです。そういう人が、その状態の神谷さん見たらどう思います?」

僕は自分の口から出た、真っ当すぎる言葉に自分で驚いた。

頬に垂れる涙を最早僕は拭わなかった。

「不愉快な気持ちになる」

神谷さんも眼を真っ赤にして、肩を震わせている。

「そうですよね。神谷さんには一切そんなつもりがなくても、そういう問題を抱えている本人とか、家族とか、友人が存在していることを、僕達は知ってるでしょう。全員、神谷さんみたいな人ばかりやったら、もしかしたら何の問題もないかもしれません。あるいは、神谷さんが純粋な気持ちで女性になりたいのであれば何の問題もないです。でも、そうじゃないでしょう。そういう人を馬鹿にする変な人がいるってことを僕達は、世間の人達は知ってるんですよ。神谷さんのことを知らない人は神谷さんを、そういう人と思うかもしれませんよ。神谷さんを知る方法が他にないんですから。判断基準の最初に、その行為が来るんやから。神谷さんに悪気がないのはわかってます。でも僕達は世間を完全に無視することは出来ないんです。世間を無視することは、人に優しくないことなんです。それは、ほとんど面白くないことと同義なんです」

周りの客のことなど、気にならなかった。

「徳永、もう言わんといてくれ」

「神谷さんを責めてるんじゃないんです。もしかしたら、神谷さんは悪くないのかもしれません」

この人が悪いとはどうしても思えなかった。

「いや、俺が悪い。ほんまに、あほや。どないしよう」

神谷さんは、胸を揺らさないように気をつけながら泣いている。

「神谷さんに差別的な意識が一切ないのはわかってます。男が巨乳やったら面白いという発想と、性別を馬鹿にすることとは全然違うんです。そんなんわかってます。でも、一緒やと思われますよ。もしくは同質の不快感を与えてしまうんです。僕達が情報として持っているのか、潜在的な嫌悪があるのかわからへんけど、そういう僕達の中の微妙な差別意識と結びついて、神谷さんの行為は許されへんもんになるんです」

苦しんでいる神谷さんに追い打ちをかけるようなことはしたくなかった。

「すまん。俺な、もう何年も徳永以外の人に面白いって言われてないねん。だからな、そいつらにも、面白いって言われたかってん。徳永が言うてくれたから、諦めんとこうと思ってん。自分が面白いと思うとこでやめんとな、その質を落とさずに皆に伝わるやり方を自分なりに模索しててん。その、やり方がわからへんかってん。ほんで、いつの間にか俺、巨乳になっててん。今では、ほんまに後悔してる。ほんま、ごめん」

僕達の他には、若い男女が行儀よく、静かに蕎麦を食べていた。その二人の佇《たたず》まいは心中ものを連想させた。一番大きなテーブルでは会社員風の団体が賑やかに呑んでいて、店員達はそこにつきっ切りだった。忙しない厨房の喧騒は紛れもなく人間達の切実な生活の音だった。相変わらず風景に溶け込めない神谷さんに引き摺られ、僕達はその場から切り取られた空間の中で、そこにある乳房を憂い、十年を越える季節を思い、ぼやけた焦点の定まらない視界のまま、一瞬とも永遠とも思える間、周囲を憚らずに咽《むせ》び泣いていた。

東京駅から熱海に向かう新幹線こだまに揺られていた。神谷さんは、分厚いセーターの上から、大きなサイズのパーカーを着込んで、胸の膨らみを隠していた。正月休みをゆっくり過ごしたいと思い、ちょうど神谷さんの誕生日が近かったので、お祝いとして温泉旅行を持ちかけたのだ。欲を言えば、暖かい南の島まで行きたかったけれど、現実的ではないので熱海にした。

神谷さんは浮かれてしまって、乗車時間は一時間もないと説明しているのに、おつまみを拡げて焼酎を呑み、無理やり旅行の雰囲気を満喫しようとしていた。

「徳永、一緒に風呂入られへんけどすまんな」と神谷さんが言い、「やかましいわ」と僕が答えた。

「というか、俺どっちの風呂入ったらいいの？」神谷さんが不安気な表情で囁いた。

「男風呂に決まってるでしょ」

「お客さんパニックになるんちゃうんか。俺、人に迷惑かけるの嫌いやねん」と神谷さんは切実に訴えてくる。

誰が誰に言っているのだろうか。

「人に迷惑掛ける天才でしょう」

事前に風呂のことは調べて、それなりに高くついたが客室内に源泉掛け流しの露天風呂がついている部屋を予約した。他の大きな露天風呂も時間帯によって貸し切りに出来ると電話で説明を受けた。熱海駅のホームに新幹線が滑り込んだ時、神谷さんは慌ててあたりめを口に放り込んだため、旅館に着いても未だ奥歯で噛んでいた。


花火が打ち上がる度に拍手と歓声が響き渡る。場内アナウンスで、大手のスポンサー名が読み上げられ、素晴らしく壮大な花火が冬の夜空に開く。海岸に降りて観ていた僕達は大いに楽しんだ。熱海では夏場に限らず、一年を通して何度か花火大会があるらしい。次々と企業の名前が告げられ大きな花火が上がる。一際壮大な花火が打ち上がり歓声が巻き起こったあと、しばらく間があり、観客達は夜空から白い煙が垂れてくるのを、ぼんやりと眺めていた。すると、スポンサー名を読み上げる時よりも、少しだけ明るい声の場内アナウンスが、「ちえちゃん、いつもありがとう。結婚しよう」とメッセージを告げた。

誰もが息を飲んだ。

次の瞬間、夜空に打ち上げられた花火は御世辞にも派手とは言えず、とても地味な印象だった。その余りにも露骨な企業と個人の資金力の差を目の当たりにして、思わず僕は笑ってしまった。馬鹿にした訳ではない。支払った代価に「想い」が反映されないという、世界の圧倒的な無情さに対して笑ったのだ。しかし、次の瞬間、僕達の耳に聞こえてきたのは、今までとは比較にならないほどの万雷の拍手と歓声だった。それは、花火の音を凌駕する程のものだった。群衆が二人を祝福するため、恥をかかせないために力を結集させたのだ。神谷さんも僕も冷えた手の平が真っ赤になるまで、激しく拍手をした。

「これが、人間やで」と神谷さんはつぶやいた。


花火を見物したあと、二人で初めて一緒に行った居酒屋を十年振りに訪れた。神谷さんが、女性店員を懐かしそうに見て、「全然変わってませんね。僕等、十年前にも来たんです。覚えてはりますか？」と言うと、女性店員は「私、先月からなんです」と笑顔で答えた。

旅館に戻ってからも、神谷さんは上機嫌だった。

「おい徳永、ＣＤの貸出しあるみたいやで。なんか借りようぜ」と神谷さんは受付に再び戻ったが、受付の女性が思いのほか若かったことに戸惑ったのか、「セックスピストルズ

かクラッシュありますか?」と棒読みで尋ねていた。「そんなん、普段聴きませんやん」と僕が言うと、「あほか、最近めっちゃパンク聴くっちゅうねん」と必死の形相で訴えた。

結局、ほとんどのCDは貸し出し中だったので、残り物を何枚か適当に見繕って貸して貰った。神谷さんは、「今夜は俺の他にも、パンク好きが宿泊しているとみた」と一人で嘯《うそぶ》いていた。

部屋で料理と酒をいただいて神谷さんは上機嫌だった。翌日に素人参加型の「熱海お笑い大会」があるというポスターを見つけた神谷さんが、どうしても出たいと言いだした。応募の締め切りが過ぎているから無理だと言っても聞かなかった。優勝すると賞金が十万円も出るらしい。

神谷さんは、「漫才作る」と言って、焼酎を片手に露天風呂に浸かっている。この人は一生漫才師であり続けるのだろう。僕は、いつものように神谷ノートを開き今日の出来事を書き込んでいる。

神谷さんが、「なんで、ライブバージョンやねん!」と湯に浸かりながら叫んだ。これは、受付で借りたボブ・マーリーに対しての言葉だろう。

神谷さんの頭上には泰然と三日月がある。その美しさは平凡な奇跡だ。ただ神谷さんはここにいる。存在している。心臓は動いていて、呼吸をしていて、ここにいる。神谷さん

はやかましいほどに全身全霊で生きている。生きている限り、バッドエンドはない。僕達はまだ途中だ。これから続きをやるのだ。

神谷さんの言葉を無視して、ジャマイカの英雄はエビシンゴノビーオーライと世界に向かって唄い続けている。神谷さんは、窓の外から僕に向かって、「おい、とんでもない漫才思いついたぞ」と言って、全裸のまま垂直に何度も飛び跳ね美しい乳房を揺らし続けている。

初出　「文學界」二〇一五年二月号
装画　西川美穂「イマスカ」二〇一一
装丁　大久保明子

著者略歴

一九八〇年大阪府寝屋川市生まれ。よしもとクリエイティブ・エージェンシー所属のお笑い芸人。コンビ「ピース」として活動中。著書に『第2図書係補佐』『東京百景』、せきしろとの共著に『カキフライが無いなら来なかった』『まさかジープで来るとは』、田中象雨との共著に『新・四字熟語』がある。

火花《ひばな》

二〇一五年三月十五日　第一刷発行
二〇一五年九月　一　日　第二十刷発行

著　者　又吉直樹《またよしなおき》
発行者　吉安　章
発行所　株式会社　文藝春秋
〒102—8008　東京都千代田区紀尾井町三—二三
電話　〇三—三二六五—一二一一
印刷所　大日本印刷
製本所　大口製本

　ISBN978-4-16-390230-2
Printed in Japan